ÉTUDES LITTÉRAIRES

MOLIÈRE
Tartuffe

PAR GÉRARD FERREYROLLES

PRESSES UNIVERSITAIRES DE FRANCE

ÉTUDES LITTÉRAIRES

Collection dirigée par
Jean-Pierre de Beaumarchais
et Daniel Couty

ISBN 2 13 040020 5
ISSN 0764-1621

Dépôt légal — 1re édition : 1987, avril

108, boulevard Saint-Germain, 75006 Paris

Sommaire

Le contexte

Le contexte doctrinal et historique

La comédie du *Tartuffe* a pour protagoniste un hypocrite. L'identification fut si nette que le nom propre devint tout de suite un nom commun[1]. Il importe liminairement de définir ce qu'est l'hypocrisie aux yeux de la religion qui constitue la norme officielle des jugements moraux et spirituels de la société à la sentence de laquelle Molière expose sa pièce. A cette perspective théologique doit s'adjoindre celle de l'histoire pour déterminer ensuite la forme d'hypocrisie particulière à son temps que l'auteur du *Tartuffe* a entendu viser.

1 / L'Eglise catholique et le péché d'hypocrisie. — Le Christ s'en est souvent pris à l'hypocrisie, et pour aucun vice n'a marqué plus de sévérité. Les malédictions aux scribes et pharisiens hypocrites de Matthieu, XXIII, que reprendra en épigraphe vers 1660 la satire des *Pharisiens du temps* — une des sources possibles de *Tartuffe* —, forment dans le Nouveau Testament le bloc des anti-Béatitudes. Sont désignés comme hypocrites par l'Evangile non seulement ceux qui font le mal sous couvert du bien (Mat., XXIII, 25), mais ceux qui imposent aux autres des préceptes qu'ils n'observent point eux-mêmes (*ibid.*, 3-4), voire qui les accomplissent dans le dessein d'être loués des hommes (Mat., VI, 5 et 16 : ce sont les

1. Il est employé comme tel par Molière lui-même, qui écrit : « les tartuffes » dès son premier Placet (1664) ; puis par Rochemont, l'année suivante, qui appelle Molière « un tartuffe achevé et un véritable hypocrite » dans ses *Observations sur (...) le Festin de Pierre*. La Fontaine dira du chat et du renard, dans la fable qui porte ce titre : « C'étaient deux vrais tartufs » (v. 2). Le *Dictionnaire* de Furetière constate à la fin du siècle que « Molière a enrichi la langue de ce mot par une excellente comédie à qui il a donné ce nom ».

« dévots de place » de *Tartuffe,* acte I, scène 5, vers 361[1]). Il ne revient pas cependant à l'Evangile, mais à la théologie morale de donner une définition de l'hypocrisie. L'autorité la plus éminente en la matière, dont l'influence est immédiatement sensible sur les traités du XVIIe siècle, est celle de saint Thomas. A la vertu de véracité, le « Docteur commun » oppose le mensonge, qui trompe par les paroles prononcées *(per verba exteriora),* et la simulation, qui trompe par des actes *(simulatio consistit in quodam factorum mendacio)*[2]. L'hypocrisie représente « cette sorte de simulation par laquelle on feint d'être un personnage qu'on n'est pas »[3]. Par « personnage », entendons étymologiquement « personnage de théâtre », l'hypocrite désignant en grec le comédien, celui qui est sous le masque (masque = *persona* en latin). On retrouvera donc dans l'*hypocrisis* le couple d'opposés constitutif de la *simulatio* : un signe (*signum,* telle manifestation en acte) renvoyant à un signifié contraire (*signatum,* en l'occurrence une perverse intention secrète). Il s'ensuit que l'hypocrisie — comme le soutiendra Bossuet dans son *Sermon* de novembre 1665 *sur le jugement dernier* — n'est nullement circonscrite au domaine religieux : *hypocrita simulat quamcumque virtutem,* « l'hypocrite contrefait n'importe quelle vertu »[4]. A quoi Molière semble faire écho : « Il est de faux dévots ainsi que de faux braves » (*Tar.,* I, 5, v. 326).

Les théologiens des XVIe et XVIIe siècles suivent particulièrement saint Thomas lorsqu'il s'agit d'apprécier la gravité

1. Pour la simplification des références à *Tartuffe,* on écrira désormais : *Tar.,* I, 5, v. 361 — ou même, lorsque le contexte sera évident : I, 361. On renvoie en premier lieu à l'éd. Couton, Molière, *Œuvres complètes,* Paris, Gallimard, « Bibliothèque de la Pléiade », 1983, t. I (pour la Préface de Molière et ses trois *Placets présentés au Roi,* le pamphlet de Pierre Roullé, *Le Roi glorieux au monde,* l'*Ordonnance de Mgr l'Archevêque de Paris* et la *Lettre sur la comédie de « L'Imposteur »*) ; en second lieu à l'éd. Collinet, Paris, Le Livre de Poche, 1985 (pour la Préface et les Placets).
2. *Summa theologiae, IIaIIae,* q. 111, art. 2.
3. *Ibid.,* art. 3.
4. *Sum. theol., ibid.*

de la faute commise par l'hypocrite. A examiner, en effet, les textes de la littérature des « cas de conscience » – dont les plus répandus sont cités dans l'article de G. Couton, « Réflexions sur *Tartuffe* et le péché d'hypocrisie, *cas réservé* »[1] —, on constate qu'ils différencient les deux types de situations distingués déjà chez le Docteur Angélique. Quand l'hypocrisie cause un dommage notable aux intérêts de Dieu ou du prochain, elle est péché mortel ; et les exemples en sont ceux-là mêmes qu'énumère la *Somme* : semer l'hérésie, viser un office ecclésiastique dont on est indigne, rechercher les biens temporels au détriment d'autrui (voir l'article « Hypocrisie » dans la *Somme des péchés* du P. Benedicti, en 1583, et le traité sur la feintise dans les *Morales chrétiennes* de Marandé, en 1648). L'hypocrisie en revanche n'est que péché véniel si son adepte la pratique « pour le plaisir qu'il y prend » (Benedicti) ou « simplement pour en acquérir de l'honneur et réputation » sans léser personne (P. Milhard, la *Grande Guide des curés...,* 1604 ; même doctrine dans l'*Abrégé du Manuel... de M. Azpicueta,* par le P. Guivarra, 1626). Une seule nouveauté par rapport à saint Thomas : l'apparition — dans la catégorie des fautes vénielles — de l'hypocrisie à fin édifiante (Benedicti, Guivarra), qui consiste à affecter de paraître doux et modeste afin de porter par son exemple les autres à la pratique de la vertu.

Dans quelle classe ranger Tartuffe ? Sa « feinte douceur » (*Tar.,* III, 6, v. 1089) n'a point pour objet d'inciter Orgon à la bienveillance envers son fils ; Tartuffe ne pratique pas non plus l'hypocrisie pour le plaisir intrinsèque qui lui en reviendrait ou pour la seule réputation de piété, mais pour les avantages tout matériels que cette réputation peut lui procurer. Avide de *bona temporalia* — nourriture, femmes, argent, maison — où il a placé la fin dernière d'une simula-

1. Les références qui ne sont pas données en note se trouvent dans la « Bibliographie critique ».

tion fort dommageable à autrui, Tartuffe remplit objectivement les conditions de la mort spirituelle.

2 / La dévotion et ses avatars au XVIIe siècle. — Si le concept d'hypocrisie intègre la simulation de quelque vertu que ce soit, Molière dans *Le Tartuffe* vise principalement l'hypocrisie en matière de religion. Sous quelle physionomie particulière ce « vice à la mode » (*Dom Juan,* V, 2) s'avance-t-il dans le siècle ? Indéniablement, celle du *dévot.* Jamais la dévotion ne connut plus d'éclat qu'au début du XVIIe siècle, lorsque François de Sales publia l'*Introduction à la vie dévote* (1609), où il ne proposait rien de moins *aux laïcs* de son temps que l'idéal chrétien le plus exigeant : la dévotion y était décrite comme « la perfection de la charité »[1]. Mais la hauteur même de cette vertu l'exposait davantage à la contrefaçon, et l'on ne s'étonnera guère de lire dans le *Dictionnaire* de Furetière, à la fin du siècle, que le terme de dévot peut s'employer « ironiquement » pour désigner « un mangeur de Crucifix ». *Le Tartuffe,* certes, est passé par là, mais la dépréciation du dévot l'a précédé, comme on l'observe chez un auteur aussi peu suspect de libertinage que Pascal. Que sont les dévots pour Pascal ? Des chrétiens « qui ont plus de zèle que de science », voire un « zèle sans science »[2]. Paradoxalement pour des fanatiques, le trait de l'hypocrisie ne manque point à leur portrait. Il est nettement dessiné dans la VIIe *Provinciale* (1656), où Pascal stigmatise la direction d'intention inventée pour donner un prétexte spécieux aux plus immorales actions : « Je ne sais même si on n'aurait pas moins de dépit de se voir tuer brutalement par des gens emportés que de se sentir *poignarder consciencieusement par des gens dévots* »[3]. Les dévots sont alors les disciples de ces casuis-

1. Ire partie, chap. II, éd. Pléiade des *Œuvres,* p. 36.
2. *Pensées,* fr. 90 (Lafuma), 337 (Brunschvicg) et 598-868.
3. *Provinciales,* éd. Cognet (Paris, Garnier, 1965), p. 131. Ce qui est mis en italique dans les citations l'est par nous.

tes jésuites contre lesquels Port-Royal reprend les malédictions de l'Ecriture sur les hypocrites : *Vae duplici corde et ingredienti duabus viis !*[1].

Historiquement, deux facteurs ont joué contre les dévots : leur position politique et leur méthode apostolique. Du point de vue politique, l'adjectif « dévot » n'est pas neutre. Il renvoie au « parti dévot » des Bérulle et des Marillac qui mena sous Louis XIII l'opposition à la politique nationaliste et, en un sens, rationaliste de Richelieu destinée à être poursuivie par Mazarin, puis le jeune Louis XIV. Désavoués par le roi lors de la Journée des Dupes (10 novembre 1630), les dévots avaient dû en bonne partie relayer la contestation ouverte au sommet par une plus discrète et efficace action sur le terrain. Ce terrain est la cour, mais aussi la ville et, si possible, la société entière. Tel est le champ que se donne la fameuse Compagnie du Très Saint-Sacrement de l'Autel, fondée en 1627 par le duc de Ventadour, trois ans avant la désagrégation du parti dévot qu'elle va prolonger dans la clandestinité. L'objectif immédiat des confrères est la pratique de la charité, en quoi ils se conforment à l'idéal évangélique et à l'exigence soutenue par le parti dévot d'assurer la subsistance des sujets du roi avant de songer, comme faisait par priorité Richelieu, à la gloire extérieure du royaume. On verra donc les membres de la Compagnie — Vincent de Paul en tête — distribuer des aumônes aux mendiants et aux prisonniers, secourir les « pauvres honteux » et les dénuements cachés, procurer du travail aux filles de la campagne, des semences aux provinces sinistrées, organiser en 1652 les Magasins généraux pour atténuer par des dons en nature la détresse consécutive à la Fronde. Au total, une entreprise sans égale d'assistance publique que couronne en 1656 la fondation à Paris de l'Hôpital Général.

1. « Malheur à celui qui est double de cœur et qui se prépare deux voies » (*Ecclésiastique,* II, 14, cité à la XIIIe *Prov.,* p. 254).

D'où vient donc la mauvaise réputation de la Compagnie ? De ce que la charité court le risque, chez les confrères du Saint-Sacrement, de n'être qu'un moyen au service du prosélytisme : le but vient-il à manquer ? le bras séculier supplée à l'amour. Libertins, hérétiques, duellistes, jureurs et blasphémateurs sont d'abord avertis par douces remontrances d'avoir à regagner le droit chemin, mais s'ils se montrent incorrigibles on les dénonce aux magistrats. Pour reprendre deux adjectifs que le premier Placet de Molière (p. 889/29) applique aux hypocrites, les membres de la Compagnie pouvaient aisément être regardés comme « incommodes » et « dangereux ». Incommodes par leurs manœuvres pour faire interdire les jeux et les danses, le carnaval et les masques, les foires et les farces ; par leur habitude de surveiller l'observance des jeûnes et abstinences du carême, de mettre « le nez — comme l'écrit Guy Patin dans une lettre du 28 septembre 1660 — dans le gouvernement des grandes maisons » et d'aviser sur des soupçons douteux « les maris de quelques débauches de leurs femmes ». Par là, le mouchardage sacré se révèle aussi dangereux : les dossiers qu'il établit, les rumeurs qu'il accrédite, les délations auxquelles il recourt peuvent faire enfermer filles et femmes au couvent — ainsi à Bordeaux en 1658 —, briser des carrières et des réputations, décider parfois de la vie ou de la mort d'un homme. Et les zélés ne se privent pas, pour intimider les récalcitrants, de faire savoir le résultat de leurs interventions. En 1661 ils publient à Paris, chez le libraire Bessin, leur tableau de chasse, où on lit par exemple qu'un certain Claude Poulain, par arrêt du 8 mars 1655, a été conduit au marché de Senlis pour y être pendu et étranglé, et ses cendres jetées au vent ; que Pierre Bernier subit la même peine en août « pour avoir juré et blasphémé le Saint Nom de Dieu en jouant aux cartes et aux quilles », etc. Encore ne peuvent figurer sur la liste les cas ultérieurs de Claude Le Petit, mort sur le bûcher le 1er septembre 1662 à cause de quelques odes irrespectueuses pour les puissances et la religion établies, et de l'illuminé Simon Morin brûlé en 1663 (un an avant *Tartuffe*) sur dénonciation du très dévot Desmarets de Saint-Sorlin. De tels faits donnent leur poids à l'avertissement d'Orgon au « libertin » Cléante : « Vous vous attirerez quelque méchante affaire » (*Tar.*, I, 5, v. 317), et à la menace proférée contre Molière par le curé Roullé dans son pamphlet *Le Roi glorieux du monde* : « Il méritait, par cet attentat sacrilège et impie [la production de *Tartuffe*], un dernier supplice exemplaire et public, et le feu même, avant-coureur de celui de l'Enfer » (éd. Couton, p. 1143).

Dangereux aux particuliers, les dévots trop zélés l'étaient aussi à l'Etat. Sous la Fronde, la Compagnie du Saint-Sacrement avait milité contre Mazarin, transférant sur le second cardinal-ministre l'hostilité qu'elle avait conçue pour le premier. Après la fin des troubles, le pouvoir ne pouvait que s'inquiéter d'une société agissant dans l'ombre, tissant sur le pays un réseau centralisé de filiales et de correspondances. Des scandales éclatent, entraînant autour des assemblées de la Compagnie une enquête judiciaire dont le procès-verbal s'exprimait ainsi : « Sous le voile de piété et de *dévotion,* qui sert de prétexte à l'établissement des dites assemblées, il s'y commet de notables abus, tant parce qu'on y enferme toutes sortes de personnes, sans l'autorité et l'aveu du juge ordinaire, que parce qu'on y peut pratiquer des *cabales* et des intrigues ruineuses et préjudiciables au service de l'Etat »[1]. Les tournées d'inspection et de fondation du marquis de La Motte-Fénelon ravivaient enfin chez Mazarin la hantise de la Ligue et le souvenir de la Fronde ; il se plaignit en août 1660 à M. de Montaigu « que la noblesse s'assemblait en secret », ajoutant « que c'était sans doute des gens malcontents et chagrins qui *cabalaient* quelque chose contre le service du roi et qu'il était nécessaire d'y mettre ordre,

1. Cité dans Baumal, *Tartuffe et ses avatars,* p. 153.

que tous *ces dévots* étaient intéressés et ambitieux »[1]. Le 13 décembre suivant, un arrêt du Parlement interdit les réunions non autorisées par le roi : dès lors la Compagnie redouble de prudence, espace ses assemblées plénières et limite son recrutement. Six ans plus tard, à Paris tout au moins, elle semble se dissoudre — mais peut-on s'assurer de la mort d'une société secrète ? A la première occasion les affinités se renouent, comme Molière en fait l'expérience en 1667 lorsque le confrère Lamoignon, premier président au Parlement de Paris, interdit une version adoucie de *Tartuffe* : « *La cabale s'est réveillée* aux simples conjectures qu'ils [les dévots] ont pu avoir de la chose » (second Placet, p. 892/32).

Avant même qu'il ne soit question d'une « cabale des dévots » autour de *Tartuffe,* on peut donc constater que les deux termes sont associés pour désigner la Compagnie du Saint-Sacrement. Ce n'est pas que son sein suffise à renfermer tous les « gens de bien à outrance » (premier Placet, p. 889/29) que Molière a entendu fustiger dans sa pièce : tels pieux particuliers plus illuminés que radieux, les membres des congrégations multipliées par les Jésuites dans toutes les couches de la société, les utilisateurs du *Registre de l'état des âmes* tenu dans beaucoup de paroisses[2] peuvent être compris sous la piquante dénomination ; mais c'est en tant qu'ils participent de cet esprit d'inquisition souterraine dont la Compagnie offre le modèle le plus implacable et le plus apte à faire mouvoir dans son sens les autres corps dévots, « tout de même qu'une moindre roue est enclavée dans une plus grande »[3].

1. *Annales de la Compagnie du Saint-Sacrement,* par R. de Voyer d'Argenson, publiées par Dom H. Beauchet-Filleau, Marseille, Saint-Léon, 1900, p. 258.

2. V. l'article de G. Couton et J.-H. Martin, Une source d'histoire sociale : le Registre de l'état des âmes, *Revue d'Histoire économique et sociale,* 1967, n° 2, p. 244-253.

3. *Mémoire pour faire connaître l'esprit et la conduite de la compagnie établie en la ville de Caen et appelée l'Hermitage,* par Du Four, abbé d'Aulnay, s.l., 1660 — cité dans F. Baumal, *op. cit.,* p. 296.

La forme littéraire

Que le *Tartuffe* soit une comédie l'inscrit dans une double problématique morale et littéraire. C'est la forme aussi de la dénonciation moliéresque qui déchaîne contre lui les dévots : la nouvelle de Scarron intitulée *Les Hypocrites* n'avait excité nulle tempête. La querelle du *Tartuffe* prend son sens d'être insérée dans la plus vaste querelle de la moralité du théâtre. D'autre part la pièce de Molière, en tant que comédie, participe à l'évolution d'un genre que son auteur a, plus que personne au XVIIe siècle, contribué à renouveler.

1 / La querelle du théâtre. — Elle met en jeu, concrètement, le statut des comédiens et, sur le plan des principes, celui de la comédie.

« En Italie, en France et presque partout — écrit Jean-Pierre Camus en 1632 —, les histrions ou comédiens sont tenus pour infâmes »[1]. Sur le plan civil cependant, l'ordonnance royale du 16 avril 1641 stipule que seuls encourent la peine d'infamie les comédiens représentant des « actions malhonnêtes » ou prononçant en scène des « paroles lascives » ; quant aux autres, poursuit le roi, « nous voulons que leur exercice, qui peut innocemment divertir nos peuples de diverses occupations mauvaises, ne puisse leur être imputé à blâme, ni préjudice à leur réputation dans le commerce public ». La position des autorités ecclésiastiques n'est pas uniforme, mais varie d'un diocèse à l'autre. Certains rituels — par exemple celui d'Orléans en 1642 — se contentent de n'admettre point les comédiens aux ordres sacrés ; quelques autres, comme celui de Paris en 1654, les adjoignent à la liste des habituels excommuniés que sont les concubins, les usuriers, les sorciers et les blasphémateurs. Sans devenir générale, cette dernière mesure s'étend après la parution à Paris, l'année même du

1. *Les Leçons exemplaires,* Paris, R. Bertault, 1632, leçon X, p. 461.

premier *Tartuffe,* d'une traduction (d'ailleurs infidèle) du *Traité* de saint Charles Borromée *contre les danses et les comédies.* Cependant, les registres paroissiaux montrent qu'en pratique les comédiens jouissent des mêmes droits que les autres chrétiens. Nonobstant le mépris des dévots, ils sont si peu excommuniés que Molière lui-même a pu, sans avoir à renoncer au théâtre, faire ses Pâques l'année 1672. Quelques mois après, il est vrai, les difficultés rencontrées pour son inhumation laissent présager un changement de climat. Avec la dévotion grandissante du roi, le clergé, à partir de 1685-1686, va devenir plus intransigeant vis-à-vis des comédiens et remettre en vigueur les anciens canons.

Parallèlement se déroule au cours du siècle le débat théorique sur la moralité de « la comédie », c'est-à-dire du théâtre. Trois moments plus intenses peuvent être distingués. La première passe d'armes a lieu en 1639, à l'époque où les efforts du cardinal pour épurer la scène française ont commencé de porter leurs fruits, et elle oppose au ministre protestant André Rivet — auteur d'une *Instruction chrétienne touchant les spectacles publics* — l'*Apologie du théâtre par Monsieur de Scudéry.* La dernière tournera, en 1694, à l'avantage des adversaires du théâtre lorsque la *Letttre d'un théologien illustre* du P. Caffaro plaidant pour la légitimité de ce divertissement suscitera, à côté d'une nuée de réfutations sans originalité, les foudroyantes *Maximes et Réflexions sur la comédie* de Bossuet. Dans l'intervalle, la polémique se centre sur les années 1664-1669, qui sont le moment de la bataille autour de *Tartuffe* et de *Dom Juan.* Après Corneille dans la Préface de son *Attila* (1667), Molière constate dans celle du *Tartuffe* en 1669 que « l'on s'attache furieusement depuis un temps » à décrier les comédies et que « jamais on ne s'était si fort déchaîné contre le théâtre » (p. 885/24). La triple justification de Molière dans ce texte permet d'en reconstituer le contexte. Une première réponse s'adresse à ceux qui accusent *Tartuffe* d'attaquer la vraie dévotion ; une seconde, à ceux qui reprochent à l'auteur d'avoir parlé de religion ; la troisième, à ceux qui condamnent en bloc le théâtre.

La première accusation engage une interprétation de l'œuvre ; elle sera donc examinée plus loin. La seconde, en revanche, touche une question de principe débattue depuis des années parmi ceux mêmes qui reconnaissaient la moralisation du théâtre : est-il licite de faire paraître la sainteté de la religion dans le temple du divertissement profane ? Corneille, entre autres, l'avait cru avec *Polyeucte* (1641-1642) et *Théodore, vierge et martyre* (1645). Dans un célèbre sonnet, l'évêque Godeau louait en 1654 l'effort de purification entrepris sur la scène : « Une règle sévère en bannit la licence / Et rien n'y blesse plus ni l'esprit, ni les yeux » ; mais il concluait en sens inverse que « pour changer les mœurs et régler leur raison, / Les chrétiens ont l'Eglise et non pas le théâtre »[1]. Telle sera la réponse que Molière recevra de la bouche d'un autre membre de la Compagnie du Saint-Sacrement, le président Lamoignon, à qui il demandait l'autorisation de jouer la seconde version de *Tartuffe* : « il ne convient pas à des comédiens d'instruire les hommes sur les matières de la morale chrétienne et de la religion ; ce n'est pas au théâtre à se mêler de prêcher l'Evangile »[2]. Même un défenseur de la comédie comme l'abbé d'Aubignac — auteur en 1666 d'une *Dissertation sur la condamnation des théâtres* — notait dans un chapitre additionnel manuscrit de sa *Pratique du théâtre* : « je ne dis pas seulement qu'une pièce entière qui serait contre la mauvaise dévotion serait mal reçue, mais je prétends qu'un seul vers, une seule parole qui mêlera quelque pensée de religion dans la comédie blessera l'imagination des spectateurs, leur fera froncer le sourcil et leur donnera quelque

1. *Poésies chrétiennes,* Paris, P. Le Petit, 1654, p. 464.
2. Note de Brossette (dans *Correspondance Boileau-Brossette*) citée par G. Mongrédien, *Recueil des textes et des documents du XVIIe siècle relatifs à Molière,* t. I, p. 291.

dégoût »[1]. A quoi Molière réplique dans sa Préface que la comédie est née de la religion chez les Anciens (l'argument vient de la *Dissertation*), qu'elle est renée en France chez les Confrères de la Passion (propriétaires de l'hôtel de Bourgogne, où ils ont représenté « les plus importants mystères de notre foi ») et que les « pièces saintes » de Corneille « ont été l'admiration de toute la France » (p. 885/23).

Restent les adversaires du genre théâtral lui-même. Molière insinue une distinction entre ceux qui manient l'anathème au nom des Pères de l'Eglise et les esprits délicats « qui disent que les plus honnêtes [comédies] sont les plus dangereuses » parce que « les passions que l'on y dépeint sont d'autant plus touchantes qu'elles sont pleines de vertu » (p. 888/26). La première allusion regarde surtout, au sein des dévots, le prince de Conti ; la seconde vise, avec un respect non dénué d'ironie, les moralistes augustiniens et particulièrement le janséniste Nicole. Ancien protecteur de Molière passé à la Compagnie du Saint-Sacrement, Conti, frère du Grand Condé, avait compilé un *Traité de la comédie et des spectacles selon la tradition de l'Eglise tirée des conciles et des saints Pères* (publication posthume en décembre 1666). Il s'agissait d'étendre aux pièces contemporaines les condamnations portées pendant les premiers siècles de l'Eglise contre la bouffonnerie des Saturnales ou les combats de gladiateurs, et partiellement réactualisées au XVIe siècle par Charles Borromée dans son diocèse de Milan. Plus subtile se révélait l'analyse des moralistes augustiniens. Le P. Senault, sévère oratorien mais point janséniste, a pour la première fois sans doute mis au jour le paradoxe relevé par Molière, en écrivant dans *Le Monarque, ou les Devoirs du souverain* que « plus la comédie est charmante, plus elle est dangereuse » et même que « plus elle semble honnête », plus il faut la tenir pour « criminelle »[2]. Mais

1. Cité dans le *Recueil Mongrédien,* t. I, p. 233-234.
2. *Le Monarque,* Paris, P. Le Petit, 1661, p. 229.

l'explication en était vraisemblablement familière déjà aux habitués du salon de la jansénisante marquise de Sablé dont une maxime met en garde le chrétien contre les dangers de la comédie : « C'est une peinture si naturelle et si délicate des passions qu'elle les anime et les fait naître dans notre cœur, et surtout celle de l'amour, principalement lorsqu'on se représente qu'il est chaste et fort honnête. Car plus il paraît innocent aux âmes innocentes, et plus elles sont capables d'en être touchées »[1]. Nicole, enfin, s'était distingué contre la comédie par une phrase de sa première *Visionnaire* où il généralisait sans précaution — Racine le lui fit cruellement sentir — ce qu'il jugeait être le cas de son adversaire Desmarets : « Un faiseur de romans et un poète de théâtre est un empoisonneur public, non des corps mais des âmes des fidèles » (31 déc. 1665). Au commencement de 1667, il donnait à son tour un *Traité de la comédie* qui, pour avoir été rédigé avant *L'Ecole des femmes,* ne contient aucune mention de Molière mais le comprend par une suite nécessaire dans une réprobation dont le plus « honnête » écrivain de théâtre — Pierre Corneille — faisait exemplairement les frais.

Dans les quelques pages d'une Préface, il n'était guère loisible à Molière de développer ses arguments ; du moins l'orientation de sa défense est-elle nette. A ceux qui brandissent les foudres patristiques, il rappelle que certains Pères ont traité sans défaveur la comédie (allusion possible à Cassiodore dont une lettre incite le patrice Symmaque à réparer les ruines du théâtre de Pompée) — preuve que le genre n'est point blâmable en soi, mais seulement s'il vient à se corrompre. Quant aux moralistes scrupuleux, ils sont implicitement assimilés aux stoïciens dont l'idéal d'insensibilité dépasse les forces de la nature humaine : au lieu de prétendre « retran-

1. *Maximes* de Mme de Sablé, n° 81, dans La Rochefoucauld, *Maximes et Réflexions diverses* (éd. J. Lafond, Paris, Gallimard, coll. « Folio », 1976), p. 247. Les maximes de Mme de Sablé ont été publiées à sa mort en 1678, mais l'activité littéraire de son salon remonte à 1656.

cher entièrement » les passions, il vaut mieux travailler à les « adoucir » (p. 888/26), et c'est à quoi s'emploie la vertu civilisatrice et correctrice du théâtre contemporain. Même la tension vers le salut doit ménager à notre faiblesse des intervalles de divertissement : sans le savoir peut-être, Molière rejoignait là, contre une ligne borroméenne infléchie dans le sens de la plus grande sévérité, la tradition prudente et indulgente des Thomas d'Aquin et des François de Sales.

2 / Situation du genre comique. — Les attaques contre le théâtre menacent moins son existence qu'elles ne démontrent sa vitalité.

L'effort progressif, sur une dizaine d'années au moins, vers la régularité entendue comme réduction des disparates affectant l'action, le lieu et le temps, accompagne la renaissance de la comédie en France à partir de 1629-1630. Alors se conjuguent les encouragements officiels au théâtre et l'apparition d'une pléiade de jeunes auteurs : Pierre Corneille au premier rang, qui donne cinq comédies entre 1629 et 1634 *(Mélite, La Veuve, La Galerie du Palais, La Suivante, La Place Royale),* et Rotrou, auteur de *La Bague de l'oubli* en 1629, de *La Belle Alphrède* en 1635, des *Sosies* en 1638. Les années 1640-1660 voient l'âge d'or de la comédie d'intrigue[1]. Celle-ci prend trois formes, dont la prépondérante est la comédie « à l'espagnole ». Imitée de Calderon, Lope de Vega ou Solorzano, elle met en scène des cavaliers ardents et des jeunes filles décidées qui, au travers de mille méprises et malgré la garde de pères ou de frères attachés au point d'honneur, finissent par faire triompher leur amour. D'Ouville est le maître du genre (*Les Fausses Vérités,* 1643), suivi de Thomas Corneille (*L'Amour à la mode,* 1653) — dont le frère fait jouer avec un immense succès en 1643 *Le Menteur,* librement adapté d'Alarcon. Une variante notable de la comédie à l'espagnole

1. R. Guichemerre, *La comédie avant Molière,* Paris, A. Colin, 1972.

est représentée par la comédie burlesque de Scarron, qui place le personnage comique — souvent un valet grossier et bouffon imité du *gracioso* espagnol — non plus à la périphérie mais au centre de l'intrigue (*Jodelet ou le Maître Valet,* 1645). Dernière forme de la comédie d'intrigue, celle qu'inspire l'Italie (*La Sœur* de Rotrou en 1647, *Le Dépit amoureux* de Molière en 1656), où le romanesque consiste moins en rendez-vous sous un balcon et duels nocturnes qu'en substitutions d'enfants, travestissements et reconnaissances. A côté de cette mode survit, appréciée en province surtout, la tradition de la farce, cependant que quelques comédies manifestent un goût original pour la peinture de types sociaux : truands dans *L'Intrigue des filous* de Claude de Lestoile (1648), paysan patoisant dans *Le Pédant joué* de Cyrano de Bergerac (1654), aubergistes dans *L'Amant indiscret* de Quinault (1656).

Autour de 1660, une génération neuve accède à la notoriété. Molière est rentré à Paris en 1658, il triomphe avec *Les Précieuses ridicules* l'année suivante et va donner fin 1662 sa première « grande comédie » avec *L'Ecole des femmes.* Mais il n'est pas seul : en même temps que lui commencent à publier les Chappuzeau, les Poisson, les Chevalier. Presque tous entérinent ou accélèrent une évolution de la comédie qui délaisse les extravagances romanesques de l'intrigue espagnole et les dissonances bouffonnes du langage burlesque. La comédie d'intrigue ne disparaît pas pour autant, et en un sens elle ne peut disparaître s'il est essentiel au genre comique lui-même que « le blondin berne le barbon »[1]. On retrouvera donc après 1660 ces jeunes amoureux qui déjouent la surveillance d'un père tyrannique ou la jalousie d'un galant ridicule, et les procédés s'énumèrent toujours : déguisements (*Champagne le coiffeur* de Boucher en 1662 ; chez Molière, *L'Amour médecin, Le Sicilien, Le Bourgeois gentilhomme*), substitutions (*Les Trompeurs trompés* de Rosimond en 1671),

1. Ch. Mauron, *Psychocritique du genre comique,* Paris, J. Corti, 1964, p. 57.

reconnaissances (*Le Mort vivant* de Boursault en 1662 ; chez Molière, *L'Ecole des femmes, L'Avare, Les Fourberies de Scapin*), avec leur cortège de méprises et de quiproquos. L'intérêt cependant tend à glisser de l'intrigue aux personnages, à mesure que ceux-ci cessent d'être définis uniquement par leur fonction dramaturgique pour gagner en vérité psychologique et en réalisme social. Psychologiquement, le type s'individualise : non plus une passion incarnée mais un homme en proie à une passion, et susceptible — tel Arnolphe dans *L'Ecole des femmes* — d'être « ridicule en de certaines choses et honnête homme en d'autres »[1]. C'est la ligne de la comédie dite de caractère, illustrée avant tout par Molière mais aussi par Donneau de Visé (*La Mère coquette,* 1665), Quinault (une *Mère coquette* concurrente la même année), voire Hauteroche (*L'Amant qui ne flatte point,* 1668). Socialement, la comédie — sous la forme en particulier d'un pullulement de pièces en un acte qui renouvellent à partir de 1659 le genre de la farce — se rapproche de la vie réelle par les allusions à l'actualité (Chevalier fait jouer en 1662 *L'Intrigue des carrosses à cinq sols* quelques semaines après leur création), par l'élimination ou l'adaptation au paysage contemporain des fantoches de la comédie italienne (le *Dottore* devenant un authentique médecin ou homme de loi) et par la peinture de milieux bien déterminés (*L'Académie des femmes* de Chappuzeau en 1661, *Le Baron de la Crasse* de Poisson en 1662 — sept ans avant *Monsieur de Pourceaugnac* —, en 1666 *La Noce de village* par Brécourt, *Les Plaideurs* de Racine en 1668). C'est la ligne de la comédie dite de mœurs, qui se développe surtout vers 1665-1685.

Au sein de cette évolution, quelle est l'originalité de Molière ? Question oiseuse en un sens, lorsqu'on constate l'intégration profonde de son œuvre au mouvement de la comé-

1. *Critique de l'Ecole des femmes,* sc. 6.

die contemporaine et la difficulté d'établir des priorités indiscutables. Le plus grand mérite de Molière est peut-être d'avoir été de son temps. Mais en quoi l'a-t-il été exemplairement ? Dans l'ordre du genre, il a inventé la comédie-ballet avec *Les Fâcheux* en 1661. Dans l'ordre de l'intrigue, il a déplacé l'intérêt du couple d'amoureux vers le père-maître, élevant ainsi le personnage-obstacle à la dignité de protagoniste. Dans l'ordre des personnages, il a exhibé ses contemporains sur la scène, non point toutefois dans le seul but de divertir par la peinture d'une vie bourgeoise ou mondaine le spectateur qui pouvait y reconnaître son voisin, mais aussi, comme le rappelle Donneau de Visé dans sa *Lettre sur la comédie du « Misanthrope »,* pour parler « *contre* les mœurs du siècle ». Ici sans doute se radicalise l'originalité moliéresque, dans l'ambition idéologique et quasi politique où il a élevé la comédie. Aucune pièce ne le montre mieux que *Tartuffe*. Marquis et précieuses, prudes et médecins ne suffisent plus alors à Molière, qui se hausse jusqu'à jouer des gens « plus puissants en France » et dont le vice était « dans l'Etat d'une conséquence bien plus dangereuse que tous les autres » (Préface, p. 883 et 885/21 et 23). En attaquant le « parti » dévot, il touchait au Parlement, à la cour, à la religion : avec *Le Tartuffe,* la comédie devenait une affaire d'Etat.

L'auteur

TABLEAU SYNOPTIQUE I : AVANT « TARTUFFE » (1622-1650)

	Vie de Molière	*Œuvre*	*Histoire politique et sociale*	*Histoire religieuse et culturelle*
622	Naissance à Paris de Jean-Baptiste Poquelin.		Paix de Montpellier avec les protestants.	
627			Siège de La Rochelle.	Fondation de la Compagnie du Saint-Sacrement.
631	J.-B. commence (?) ses humanités au collège de Clermont.		Révolte de Gaston d'Orléans, frère du roi.	Th. Renaudot fonde sa *Gazette*. Balzac : *Le Prince*.
640	Etudes de droit à Orléans.			Jansénius : *Augustinus* (publication posthume).
641	Possible fréquentation de Gassendi ; traduction projetée de Lucrèce.			Corneille : *Horace**. Ordonnance royale sur les comédiens. Descartes : *Meditationes*.
642			Révolution en Angleterre ; mort de Richelieu.	Rembrandt : *La Ronde de nuit*.
643	J.-B. renonce à la survivance de la charge paternelle de « tapissier ordinaire du Roi » ; fondation de *l'Illustre Théâtre*.		Mort de Louis XIII ; début de la régence d'Anne d'Autriche ; victoire de Rocroi.	Corneille : *Cinna, Polyeucte*. D'Ouville : *Les Fausses Vérités* (comédie).
644	28 juin : première apparition du nom de « Molière ».			Corneille : *Le Menteur*.
645	Faillite de *l'Illustre Théâtre* ; M. quitte Paris (octobre ?) avec les débris de sa troupe.		Victoire de Condé et de Turenne sur les Bavarois à Nördlingen.	Scarron : *Jodelet ou le Maître Valet*. F. Mansart commence le Val-de-Grâce.
646	Jonction avec la troupe de Charles Dufresne.	1646-1655 : M. met sans doute la main à quelques farces, dont il reste *La Jalousie du Barbouillé* (1646 ?) et *Le Médecin volant* (1647 ?).		Corneille : *Théodore, vierge et martyre*.
646-1650	Pérégrinations : Toulouse, Albi, Carcassonne, Nantes, Poitiers, Narbonne, Agen.			
648			Début de la Fronde. Traités de Westphalie	Ph. de Champaigne peint *La Mère Angélique*.
650	La troupe perd son protecteur, le duc d'Epernon ; M. en devient le directeur.			Mort de Descartes.

* *N.B.* — Dans la colonne de droite, les pièces sont classées selon l'année de leur publication, la date de première représentation étant op souvent conjecturale ; c'est en revanche cette dernière date que l'on donne pour les comédies de Molière, car elle est presque toujours nnue avec certitude.

TABLEAU SYNOPTIQUE I : AVANT « TARTUFFE » (1653-1663)

	Vie de Molière	*Œuvre*	*Histoire politique et sociale*	*Histoire religieuse et culturell*
1653	M. obtient le patronage du prince de Conti ; jusqu'en 1657 les comédiens partagent leur temps entre Lyon et le Languedoc.		Retour de Mazarin à Paris ; fin de la Fronde ; rétablissement des Intendants.	Le Moyne : *Saint-Louis.*
1655		*L'Etourdi,* première comédie de M., à Lyon.		Chapelain : *La Pucelle.* Mort de Gassendi.
1656		*Le Dépit amoureux,* à Béziers.	Création de l'Hôpital Général de Paris.	Début des *Provinciales* d Pascal.
1657	Conti retire son patronage.		Alliance avec l'Angleterre de Cromwell.	Fin des *Provinciales.* D'Au bignac : *La Pratique d théâtre.*
1658	été : Représentations à Rouen. 24 oct. : M. joue pour la première fois devant le roi ; il obtient la salle du Petit-Bourbon.		Bataille des Dunes : Turenne bat Condé et les Espagnols.	La Fontaine : *Le Songe d Vaux.* Vermeer : *Vue d Delft.*
1659		18 nov. : *Les Précieuses ridicules.*	nov. : Paix des Pyrénées.	Bossuet prononce le *Ser mon sur l'éminente dignit des pauvres dans l'Eglise*
1660	oct. : Démolition du Petit-Bourbon ; trois mois de chômage.	28 mai : *Sganarelle, ou le Cocu imaginaire.*	Mariage de Louis XIV et de Marie-Thérèse. 13 déc. : Arrêt du Parlement visant, sans la nommer, la Compagnie du Saint-Sacrement.	Somaize : *Les Véritable Précieuses* (comédie). Villiers : *Le Festin de Pierr* (tragi-comédie).
1661	La troupe s'installe au théâtre du Palais-Royal ; M. habite rue Saint-Thomas-du-Louvre.	4 févr. : *Dom Garcie de Navarre.* 24 juin : *L'Ecole des maris.* 17 août : *Les Fâcheux* (fêtes de Vaux).	Mort de Mazarin, disgrâce de Foucquet, entrée de Colbert au Conseil ; règne personnel de Louis XIV, désormais.	Lulli nommé surintendar de la Musique du Roi. l Vau : premières construc tions à Versailles.
1662	20 févr. : Mariage avec Armande Béjart.	26 déc. : *L'Ecole des femmes.*	Famine et émeutes dans le royaume.	Corneille : *Sertorius.* Mort de Pascal.
1663		1er juin : *La Critique de l'Ecole des femmes.* mi-oct. : *L'Impromptu de Versailles* (à Versailles).	Annexion (provisoire) d'Avignon et du Comtat Venaissin.	Donneau de Visé : *Zélind ou la Véritable Critique d l'Ecole des femmes* ; pui *Réponse à l'Impromptu d Versailles* (comédies).

TABLEAU SYNOPTIQUE II : AUTOUR DE « TARTUFFE » (1664-1666)

	Vie de Molière	*Œuvre*	*Histoire politique et sociale*	*Histoire religieuse et culturelle*
1664	28 févr. : Baptême de Louis, premier enfant de M. ; le roi est parrain (Louis meurt 9 mois plus tard). mai : Interdiction royale de représenter *Tartuffe* en public. 20 juin : Création de *La Thébaïde*, première pièce de Racine. 1er août : pamphlet de P. Roullé, *Le Roi glorieux au monde*. 20-27 sept. : M. joue les 3 premiers actes du *Tar.* à Villers-Cotterêts, par ordre de Monsieur. 29 nov. : M. joue *Tar.* en 5 actes au Raincy, chez la princesse Palatine.	29 janv. : *Le Mariage forcé* (au Louvre). 8 mai : *La Princesse d'Elide* (fêtes de Versailles dites des *Plaisirs de l'île enchantée*). 12 mai : *Tartuffe* (les 3 premiers actes) pour les mêmes fêtes. août : *Premier Placet* au roi sur *Tartuffe*. fin sept. : Sonnet *A la Mothe Le Vayer sur la mort de son fils*, l'abbé Le Vayer, ami de M.	Procès et condamnation de Foucquet. Création des Compagnies des Indes. Création de la manufacture de Beauvais. Excuses officielles du légat pontifical, Chigi, pour l'affaire Créqui. Participation française à la victoire sur les Turcs (bataille de Saint-Gotthard).	Rancé réforme la Trappe ; persécutions contre Port-Royal. Ph. de La Croix : *La Guerre comique, ou la Défense de l'Ecole des femmes*. La Rochefoucauld : première édition des *Réflexions ou Sentences et Maximes morales*. La Fontaine : *Nouvelles en vers*.
1665	mai-août : polémiques autour de *Dom Juan*. 4 août : Baptême d'une fille, Esprit-Madeleine. 14 août : La troupe devient troupe du roi. 8 nov. : M. joue *Tar.* au Raincy. 4 déc. : Création d'*Alexandre*, seconde pièce de Racine ; la brouille s'ensuivra. fin déc. : M. malade.	15 févr. : *Dom Juan, ou le Festin de Pierre*. 14 sept. : *L'Amour médecin* (à Versailles). Deux *Quatrains* sur la dévotion de l'esclavage marial.	Colbert contrôleur général des Finances . « Grands Jours » d'Auvergne. Mort de Philippe IV d'Espagne, et préparation de la guerre de Dévolution.	La Fontaine : *Contes et Nouvelles en vers*. P. Corneille : *Othon*. Premier numéro du *Journal des Savants*. Mort de Poussin. Bossuet : *Avent du Louvre*, devant la cour.
1666	jan.-févr. : M. ferme son théâtre (à cause de sa maladie et de la mort d'Anne d'Autriche).	4 juin : *Le Misanthrope*. 6 août : *Le Médecin malgré lui*. 2 déc. : *Mélicerte* (fêtes de Saint-Germain).	Mort d'Anne d'Autriche. « Grand Feu » de Londres. Guerre franco-anglaise.	Fondation de l'Académie des Sciences. *Satires* de Boileau. Conti : *Traité de la comédie*.

TABLEAU SYNOPTIQUE II : AUTOUR DE « TARTUFFE » (1667-1669)

	Vie de Molière	*Œuvre*	*Histoire politique et sociale*	*Histoire religieuse et culturelle*
1667	fin mars : La troupe perd la Du Parc, passée à l'hôtel de Bourgogne. avril-mai : Rechute de maladie. août : Début du séjour de M. à Auteuil. 6 août : Interdiction de *L'Imposteur.* 11 août : Ordonnance de Mgr de Péréfixe contre toute représentation de *L'Imposteur* dans le diocèse de Paris. 20 août : *Lettre sur la comédie de L'Imposteur.*	5 janv. : *La Pastorale comique* (Saint-Germain). 10 févr. : *Le Sicilien, ou l'Amour peintre* (Saint-Germain). 5 août : Unique représentation de *L'Imposteur,* version adoucie de *Tartuffe.* 7 août : M. rédige son *Second Placet* au roi.	Publication du *Traité des droits de la reine Marie-Thérèse.* Début de la guerre de Dévolution : la France envahit la Flandre (espagnole). Traité de Breda entre la Hollande, l'Angleterre, la France et le Danemark.	Fondation de l'Observatoire de Paris. Milton : *Paradise Lost.* P. Corneille : *Attila.*
1668	4 mars : *Tartuffe* joué à l'hôtel de Condé. 20 sept. : *Tartuffe* joué à Chantilly, toujours pour le prince de Condé.	13 janv. : *Amphitryon.* févr. : Sonnet *Au Roi sur la conquête de la Franche-Comté* (édité le 5 mars). 18 juill. : *George Dandin* (à Versailles). 9 sept. : *L'Avare.* déc. : Edition originale de *La Gloire du Val-de-Grâce.*	févr. : Invasion de la Franche-Comté (espagnole). mai : Paix d'Aix-la-Chapelle (abandon de la Franche-Comté, gain de places flamandes).	« Paix de l'Eglise » : trêve dans la lutte anti-janséniste. La Fontaine : premier recueil des *Fables.* Racine : *Andromaque.*
1669	21 févr. : *Tartuffe* joué chez la reine. 27 févr. : Acte de décès du père de M. 3 août : *Tartuffe* joué à Saint-Germain pour le roi.	5 févr. : Représentation publique du *Tartuffe* dans sa version définitive ; *Troisième Placet* de M. au roi. 23 mars : Edition originale du *Tartuffe, ou L'Imposteur,* chez Jean Ribou (avec la Préface). 6 juin : Seconde édition originale (avec les 3 placets). 6 oct. : *Monsieur de Pourceaugnac* (à Chambord).	Colbert secrétaire d'Etat. Grande Ordonnance des Eaux et Forêts. La Crète tombe aux mains des Turcs (perte de Candie).	Guilleragues : *Lettres portugaises.* Racine : *Les Plaideurs.* Mort de Rembrandt. Montfleury : *La Femme juge et partie* (comédie). Bossuet : *Oraison funèbre de Henriette de France.* 19 nov. : Privilège de *La Critique du Tartuffe* (comédie).

TABLEAU SYNOPTIQUE III : APRÈS « TARTUFFE » (1670-1673)

	Vie de Molière	*Œuvre*	*Histoire politique et sociale*	*Histoire religieuse et culturelle*
1670	janv. : M. violemment attaqué dans l'*Elomire hypocondre* de Le Boulanger de Chalussay.	4 févr. : *Les Amants magnifiques* (à Saint-Germain). 14 oct. : *Le Bourgeois gentilhomme* (à Chambord).	Traité de Douvres avec l'Angleterre, contre la Hollande. Révolte du Vivarais.	Début de la construction des Invalides. Racine : *Britannicus*. Première édition des *Pensées* de Pascal.
1671	M. aménage son théâtre pour pouvoir y donner des pièces à machines. sept.-oct. : Maladie d'Armande ; reprise de la vie commune, interrompue sans doute depuis 1666 ou 1667.	17 janv. : *Psyché* (aux Tuileries). 24 mai : *Les Fourberies de Scapin*. 2 déc. : *La Comtesse d'Escarbagnas* (à Saint-Germain).	Alliance franco-anglaise, et franco-impériale. Mort de Hugues de Lionne ; Arnauld de Pomponne lui succède.	Racine : *Bérénice*. Corneille : *Tite et Bérénice*. Nicole : premiers *Essais de morale*. Boileau : *Arrêt burlesque*. Début de la correspondance de Mme de Sévigné avec sa fille.
1672	17 févr. : Mort de Madeleine Béjart. Rupture définitive avec Lulli. 26 juill. : Signature du bail de la maison, rue de Richelieu, où M. demeurera jusqu'à sa mort. 1er oct. : Baptême du troisième enfant de M., Pierre. 12 oct. : Inhumation de Pierre.	11 mars : *Les Femmes savantes*.	Première installation de Louis XIV à Versailles. Guerre franco-hollandaise : passage du Rhin.	Montfleury : *La Fille Capitaine* (comédie). Racine : *Bajazet*. Thomas Corneille : *Ariane*. Pufendorf : *De jure naturae et gentium*.
1673	17 févr. : Mort de M. après la quatrième représentation du *Malade imaginaire*. nuit du 21 au 22 : Enterrement au cimetière Saint-Joseph.	10 févr. : *Le Malade imaginaire*.	L'année verra la coalition, contre Louis XIV, de l'Empire, de l'Espagne et de la Lorraine (août) et les débuts de l'affaire politico-religieuse de la Régale (1673-1693).	20 janv. : P. Corneille : *Pulchérie*. 23 janv. : Th. Corneille : *Théodat*.

Le pré-texte

Les sources de « Tartuffe »

1 / Les sources littéraires. — On comprend l'importance, imposée par le sujet quoique limitée par les bienséances, des allusions ou emprunts à la littérature religieuse. L'Ecriture n'est pas loin quand Orgon affirme qu'un dirigé de Tartuffe « comme du fumier regarde tout le monde » (I, 274) ; malgré une distorsion de sens, on reconnaît la comparaison paulinienne de l'Epître aux Philippiens, III, 8 : « A cause de lui [le Christ], j'ai tout sacrifié et j'estime tout comme du fumier *(omnia arbitror ut stercora)* afin de gagner le Christ. » Tartuffe enseignant à Orgon « à n'avoir affection pour rien », jusqu'à voir avec indifférence « mourir frère, enfants, mère et femme » (I, 276 et 278), s'appuie certainement sur l'hyperbole hébraïsante de Luc, XIV, 26 : « Si quelqu'un vient à moi et ne hait pas son père, sa mère, sa femme, ses enfants, ses frères, ses sœurs et même sa propre vie, il ne peut être mon disciple. » La tradition veut aussi que le vers assez plat : « O Ciel ! pardonne-lui la douleur qu'il me donne » (III, 1142), prononcé par Tartuffe après l'expulsion de Damis, ait présenté à l'origine un tour plus piquant : « O Ciel, pardonne-lui comme je lui pardonne », ce qui constituerait une parodie du *Pater* à la limite du blasphème. Hors de la référence scripturaire, on relèvera l'allusion à la *Flos sanctorum* du jésuite Ribadeneyra (I, 208) et à Makaire le Jeune, dont *La Légende dorée* rapporte qu'il se mortifia six mois pour avoir écrasé un moustique « avec trop de colère » (I, 310). Enfin, la déclaration de Tartuffe à Elmire (III, sc. 3) emprunte peut-être sa gradation de la beauté terrestre à la beauté céleste au *De ascensione mentis in Deum per scalas rerum creatarum* (1615) de Bellarmin, et telle formule qui n'arrête pas le lecteur moderne à une source liturgique familière aux contemporains de Molière : lorsque Tartuffe s'écrie d'un ton plaintif : « Que si vous contemplez d'une âme un peu bénigne / Les tribulations de votre esclave indigne » (v. 981-982), selon G. Guéret, « il n'y a point de femme qui ne se représente l'Office des Morts et que ce terrible mot de *tribulations* n'épouvante »[1].

A mi-chemin entre littérature religieuse et littérature profane, *Les Provinciales.* L'œuvre du présumé libertin rejoint celle du janséniste dans la dénonciation de l'imposture : le terme, qui revient si souvent sous la plume de Montalte, se retrouve dans le titre même de la pièce de Molière — *Le Tartuffe, ou L'Imposteur. Les Provinciales* aussi ont eu leur cabale des dévots, comme le reconnaîtra Arnauld dans une lettre au P. Quesnel de 1680 (« nous n'entendîmes de toutes parts que des murmures et des plaintes des dévots et des dévotes ») et Molière aura, comme Pascal dans la XIe *Provinciale,* à se justifier dans ses Placets et sa Préface du reproche d'avoir tourné les choses saintes en raillerie. L'allusion au succès de son devancier est transparente dans cette même Préface : Tartuffe « débite au quatrième acte une morale pernicieuse. Mais cette morale est-elle quelque chose dont tout le monde n'eût les oreilles rebattues ? » (p. 885/23). Le quatrième acte offre en effet à la fois la pratique et la description du procédé stigmatisé dans la VIIe *Provinciale* sous le nom de « direction d'intention » et qui « consiste à se proposer pour fin de ses actions un objet permis »[2]. Tartuffe justifie son acceptation de l'acte déshéritant Damis à son profit, par la crainte que les biens d'Orgon ne tombent « en de méchantes mains » (sc. 1, v. 1244) : lui au moins saura s'en servir « pour la gloire du ciel et le bien du prochain » (v. 1248) ; un peu plus loin il évoque, pour « lever les scrupules » d'Elmire

1. *La Promenade de Saint-Cloud* (1669), *Recueil Mongrédien,* t. I, p. 354.
2. *Les Provinciales,* éd. citée, p. 116.

(sc. 5, v. 1486), la science « de rectifier le mal de l'action / Avec la pureté de notre intention » (v. 1491-1492). C'est cette même méthode qui lui avait permis pour son propre compte d'« ajuster avecque la pudeur » son désir visiblement impudique de la jeune femme (III, 3, v. 951) et qui lui permettra de dénoncer son bienfaiteur sans ingratitude (V, 7, v. 1872). Avec un pareil maître, Orgon a vite appris à ne pas respecter ses promesses (I, 5, v. 416-418), et même « à faire des serments contre la vérité » (V, 1, v. 1592) comme l'y autorise, à la IXe *Provinciale,* la « doctrine des équivoques, par laquelle il est permis d'user de termes ambigus en les faisant entendre en un autre sens qu'on ne les entend soi-même »[1]. Avec *Le Tartuffe,* Escobar — toute bonhomie disparue — monte sur la scène en même temps qu'il acquiert, par la *Ballade* de La Fontaine, droit de cité en poésie.

Du côté des Lettres purement profanes, un contemporain de Molière déjà rencontré, Gabriel Guéret, indique en 1669 deux sources à la peinture de l'hypocrisie dans *Tartuffe* : l'Arétin et Régnier[2]. la critique moderne a avalisé ces rapprochements et poursuivi les investigations. On trouve bien dans *Lo Ipocrito* de Pietro Aretino, publié en 1542, le personnage du dévot de parade en parasite libidineux ; il n'a pas toutefois la noirceur de Tartuffe, puisqu'il s'avoue hypocrite et qu'il est fanfaron de méchanceté autant que de vertu : loin de susciter l'indignation de l'auteur, il lui sert parfois de porte-parolc. Dans la ligne de la comédie italienne, il est certain que des personnages ressemblant plus ou moins à Tartuffe (le Dottor Bacchettone ; le Pedante de F. Scala) ont paru dans la *commedia dell'arte* sous le type du *Dottore* — peut-être même son nom y a-t-il été porté. P. Toldo, dans sa vaste étude sur *L'Œuvre de Molière et sa fortune en Italie* (Turin, Loescher, 1910), affirme que la bibliothèque universitaire de

1. Ed. citée, p. 164.
2. V. n. 1, p. 28.

Bologne possède un manuscrit de Giulio Cesare Croce — volume XXVI, 1 — renfermant une pièce intitulée *Tartuffo,* où Tartuffe serait un entremetteur. Le problème posé par les recueils manuscrits de canevas de *commedie dell'arte* demeure cependant celui de leur datation : mais qu'ils soient ou non antérieurs à Molière, ils témoignent d'une tradition à laquelle il est assurément redevable. Cette tradition s'enracine dans les fables et nouvelles médiévales, où pullulent prêtres paillards (ainsi l'abbé de *Décaméron,* III, 8 qui avance de hardies propositions à la femme de Ferondo) et maris complaisants. La veine du fabliau aboutit d'ailleurs à La Fontaine dont *Les Rieurs du Beau-Richard,* en 1660, contiennent une scène fort proche de la seconde tentative de Tartuffe sur Elmire.

Pour la seconde source signalée par Guéret, elle est indéniable. La Macette de Mathurin Régnier, qui occupe la *Satire* XIII de l'édition de 1612, est une sœur de Tartuffe : prostituée et entremetteuse, elle cherche dans la vie le plaisir et l'argent, mais sous le voile du secret que redouble celui de la dévotion ; la discrétion même atténue la faute, puisque « le péché que l'on cache est demi pardonné » (v. 124). Entre eux, tous les fervents du ciel de lit forment déjà cabale — « un étrange commerce, / Un trafic par lequel, au joli temps qui court, / Toute affaire fâcheuse est facile à la Cour » (v. 138-140). Mais la poésie satirique n'abandonne pas au seul Régnier le riche personnage de l'hypocrite. La première des *Satires* de Jacques du Lorens (1re éd., 1624) en montre un exemplaire pourvu du « petit collet » comme Tartuffe et le bréviaire à la main, onctueusement empressé auprès d'un voisin cossu : « Il flatte son esprit avec certain ramage / Qui l'attire, le charme et doucement l'engage ; / Il cajole sa femme, et la prie en bigot / De faire le péché qui rend un hommme sot ; / Encore qu'il soit tenu plus chaste qu'Hippolyte, / Il est aussi paillard ou plus qu'un chien d'ermite. » Quoique non publiée avant le XIXe siècle, la satire sur *Les Pharisiens du temps ou le Dévot hypocrite*, due à un autre Normand — Garaby de La Luzerne —, était bien connue à Paris dans les années contemporaines de *Tartuffe*. L'auteur parle, dans une lettre à M. de Sainte-Claire du 10 février 1670, de « [son] *Tartuf*, aîné de celui de Molière de sept à huit ans ». L'un comme l'autre cagot s'ingénient à soulager la conscience d'un riche timoré, par une donation effectuée à leur profit et que légitime la direction d'intention (La Luzerne : « Le bien qu'il a d'autrui l'accommode à bon droit : / Il en usera mieux que l'autre ne feroit » — cf. *Tar.*, IV, 1, v. 1241-48) ; tous deux font partie de ce qui est dénommé « la Cabale »[1]. Ce double trait de laxisme et de solidarité clandestine se trouve encore en 1663-1664, dans le portrait des bigots dressé au long de l'anonyme pamphlet *L'Innocence persécutée*, plus connu sous le titre du *Livre abominable*[2].

Le genre romanesque, enfin, revendique des droits sur la conception de *Tartuffe*. On a mis en avant les *Amours d'Aristandre et de Cléonice* publiées en 1624 par Vital d'Audiguier. Les hispanisants tiennent, avec E. Martinenche (*Molière et le théâtre espagnol*, Paris, Hachette, 1906), pour l'influence de *La Garduña de Sevilla* de Solorzano, traduite et publiée en 1661 par d'Ouville *(La Fouine de Séville)*. Mais la plus assurée filiation s'établit avec la nouvelle de Scarron, *Les Hypocrites* (1655), au demeurant adaptée de l'espagnol. Montufar, Hélène et la vieille Mendez exploitent les dupes de Séville par leur dévotion tapageuse. Grands distributeurs d'aumônes et visiteurs de prisons, ils ne laissent pas de remplacer l'oraison mentale par d'occultes bombances et de licencieux ébats. Un épisode, en particulier, préfigure la fin du troisième acte de *Tartuffe* : le connaissant pour fripon, un gentil-

1. La satire est reproduite dans Baumal, *Molière et les dévots*, p. 79-100. Le mot « Cabale » y figure p. 84 ; dans *Tartuffe*, v. 397 et 1705 (sans majuscule).
2. Le manuscrit a été publié sous ce dernier titre en 1883 par L.-A. Ménard chez Firmin-Didot.

homme a frappé Montufar ; la foule se rue sur l'agresseur et commence à le malmener sérieusement lorsque Montufar, le couvrant de son corps : « ''Mes frères, s'écriait-il de toute sa force, laissez-le en paix, pour l'amour du Seigneur ! (...) Je suis le méchant, disait-il, à ceux qui le voulurent entendre ; je suis le pécheur ; je suis celui qui n'ai jamais rien fait d'agréable aux yeux de Dieu. Pensez-vous, continuait-il, parce que vous me voyez vêtu en homme de bien, que je n'ai pas été toute ma vie un larron ? le scandale des autres et la perdition de moi-même ? Vous êtes trompés, mes frères : faites, faites-moi le but de vos injures et de vos pierres, et tirez sur moi vos épées.'' Après avoir dit ces paroles avec une fausse douceur, il s'alla jeter avec un zèle encore plus faux aux pieds de son ennemi... »[1]

2 / *Les modèles vivants.* — Molière entend que ses comédies fassent reconnaître aux spectateurs leurs contemporains. Cette prise de position dans *La Critique de l'Ecole des femmes* est amplement confirmée par la Préface de *Tartuffe* : l'hypocrisie est « un métier dont tant d'honnêtes gens se mêlent » (p. 883/21) ; « nous voyons des scélérats qui, tous les jours, abusent de la piété et la font servir méchamment aux crimes les plus grands » (p. 887/25). Peut-on nommer les « originaux » de Tartuffe, comme s'exprime le premier Placet (p. 890/30), qui « ont fait supprimer la copie (...), quelque ressemblante qu'on la trouvât » ? Deux noms d'adversaires du *Tartuffe* se lisent en filigrane dans la Préface : Pierre Roullé, pour avoir jugé la comédie — et son auteur — digne du feu ; Lamoignon, pour avoir estimé que ce n'est pas au théâtre à prêcher l'Evangile. Il est évident que Molière n'a pas songé à eux en écrivant le premier *Tartuffe,* et qu'ils n'étaient point seuls de leur opinion : mais c'est précisément

1. *Les Hypocrites. IIe nouvelle de M. Scarron,* Paris, Sommaville, 1655, p. 133 et 134-135.

l'ensemble de ceux qui la partagent qui dessine la figure archétypale d'un monstrueux Tartuffe collectif désigné par les vocables de la « cabale » et du « parti » (second Placet, p. 892/32). Il est essentiel aux « originaux » de la pièce de former un corps.

De ce corps dévot, on a indiqué déjà l'organe moteur dans la Compagnie du Saint-Sacrement. Elle s'est si bien sentie visée — ou la religion à travers elle — que ce sont ses *Annales,* à la date du 17 avril 1664, qui portent la première mention connue du *Tartuffe,* avec le dessein arrêté de le faire interdire : « On parla fort ce jour-là de travailler à procurer la suppression de la méchante comédie de *Tartuffe.* Chacun se chargea d'en parler à ses amis qui avaient quelque crédit à la Cour pour empêcher sa représentation, et en effet — commente après coup R. de Voyer d'Argenson — elle fut différée assez longtemps »[1]. On objectera peut-être que Molière, par définition, ne pouvait connaître une association opérant dans le secret. Cela ne l'empêchait pas d'en sentir les attaques et de remarquer leur caractère systématique et cohérent. Partout Molière s'est heurté à la Compagnie, statutairement vouée à la chasse aux comédiens : dès la première et brève installation de l'*Illustre Théâtre,* au jeu de paume des Métayers, il tombe sur le territoire de l'intransigeant curé de Saint-Sulpice J.-J. Olier ; dans toutes les villes importantes où séjournera la troupe — Nantes, Toulouse, Agen, Lyon, Grenoble, Avignon, Rouen —, des succursales de la Compagnie sont déjà en place ou en train de se constituer. Conti, le protecteur devenu adversaire acharné, entre-temps s'est fait recevoir confrère à Bordeaux, puis à Paris. Surtout, dans les années qui précèdent *Tartuffe,* la Compagnie cesse d'être inconnue, puisque divers scandales à Bordeaux, à Blois, et principalement les hystériques manifestations antijansénistes de Caen, Argentan et Sées en 1660 découvrent ses menées

1. *Annales de la Compagnie du Saint-Sacrement,* éd. citée, p. 231.

au pouvoir et au public. Le *Mémoire* de Pierre Du Four, abbé d'Aulnay, *pour faire connaître l'esprit et la conduite de la Compagnie établie en la ville de Caen et appelée l'Hermitage* révèle à « tout le royaume » (Nicole, Avertissement des *Visionnaires*) l'existence, l'organisation et les méthodes d'une « cabale » — le mot est de Du Four — mêlant curieusement le laxisme à l'usage de ses membres et le fanatisme à l'égard des autres. De là, le poème satirique de Garaby de La Luzerne, l'inquiétude des esprits libres[1] et l'arrêt du Parlement interdisant, le 13 décembre 1660, les sociétés secrètes.

Dans la mouvance ou à l'intérieur de ce modèle collectif, telle personnalité peut partiellement passer pour un modèle individuel. Distinguons, dans la traditionnelle et toujours insatisfaisante nomenclature des « clefs » de Tartuffe, les affirmations contemporaines des supputations postérieures. Dans la première catégorie arrive nettement en tête l'abbé Roquette, confrère du Saint-Sacrement promis à l'évêché d'Autun. Il est la première clef qui nous soit parvenue, puisque les *Journaux* du doyen Deslyons enregistrent dès le 29 août 1665 : « C'est contre cet abbé qu'on dit que Molière a composé le *Tartuffe* ou *l'Hypocrite* par envie qu'il a, dit-on, contractée autrefois contre lui chez le prince de Conti où ils demeuraient tous les deux »[2]. Viendront en confirmation une chanson contre Mlle de Guise, les *Mémoires* de l'abbé de Choisy, une *Plainte* satirique *de la Ville d'Autun au Roi* et quelques passages de Mme de Sévigné (*Lettres* du 24 avril 1672, du 3 septembre 1677, du 12 avril 1680), en attendant l'expéditive oraison funèbre de Saint-Simon à la disparition, en 1707, du douteux prélat[3]. Au second rang des possibles proto-Tar-

1. G. Patin écrit à Falconet le 6 août 1660 : « Paris est plein aujourd'hui de faux prophètes. Nous avons des Scribes et des Pharisiens (...), des fripons, des filous même, en matière de religion (...). Tous ces gens-là se servent du nom de Dieu pour faire leurs affaires et tromper le monde. La religion est un grand manteau qui met bien des fourbes à couvert » (cf. *Tar.*, V, 1886).
2. *Recueil Mongrédien,* t. I, p. 242-243.
3. La plupart des témoignages sont rassemblés par Mongrédien, p. 329-335.

tuffe on placera, sur la caution de Tallemant des Réaux, un certain abbé de Pons parti de rien et arrivé à six mille livres de rentes, qui faisait le doucereux auprès de Ninon de Lenclos[1]. Les Renty, Fénelon (non point l'auteur du *Télémaque*), Albon, Brancas, les PP. Maimbourg, Desmares ou La Chaise, d'autres encore, n'ont droit qu'à de plus tardives mentions ou moins autorisées.

Au nombre de ceux que leurs contemporains n'ont point explicitement désignés comme des originaux de Tartuffe, mais dont l'histoire est apparue à la critique susceptible d'inspirer Molière, deux candidats sérieux sont à retenir. Jacques Cretenet, barbier et directeur de conscience, est à Lyon l'occasion de conflits, de pamphlets et de quasi-émeutes dans les années 1652-1658 où Molière y fait de fréquents séjours. Ses dévotions voyantes et suspectes d'illuminisme (cf. *Tar.*, III, 2, v. 854 : « Et priez que toujours le ciel vous illumine ») le font traiter d'« hypocrite, *tertufle,* bigot »[2]. Cet ami de M. Olier et membre de la « Congrégation des Messieurs » au Grand Collège jésuite de Lyon fut même un temps excommunié. A Paris maintenant, et voisin de Molière, un pieux parasite « s'impatronise » chez une veuve, tombe amoureux de sa fille et chasse les visites avec l'aide du mari : c'est l'histoire de Charpy de Sainte-Croix, rapportée par Tallemant dans une « historiette » datant probablement de 1657. Sa morale vaut d'être notée : « Souvent les maris font leurs héros de ceux qui les font cocus »[3]. A ces noms on ajouterait volontiers — hypothèse pour hypothèse — celui de Desma-

1. *Historiettes,* éd. Adam, Gallimard (Pléiade), 1980, t. II, p. 448-449. Tallemant fait remonter par ailleurs la scène du « pauvre homme » (acte I, sc. 4) à une anecdote concernant le P. Joseph (citée dans le *Recueil Mongrédien,* t. I, p. 330-331).

2. Passage de la *Vie de Vénérable Messire Jacques Cretenet* (l'achevé d'imprimer est de 1680, mais la scène rapportée est antérieure à 1656) cité par F. Baumal, *Tartuffe et ses avatars,* p. 8. Pour une opinion opposée sur Cretenet, v. l'*Histoire littéraire du sentiment religieux* de Bremond (reprod. A. Colin, 1967), t. VI, seconde partie, chap. 3.

3. *Historiettes,* éd. citée, t. II, p. 859.

rets de Saint-Sorlin, auteur dramatique et mystique mêlant à une spiritualité sensuelle (« je te promets — lit-on au début de ses *Délices de l'esprit,* parus en 1658 — de te mener jusqu'à Dieu par le chemin des plus grands plaisirs du monde ») un sens aigu de la police cléricale.

3 / Le nom de Tartuffe. — Autant que par ses éventuels répondants biographiques, Tartuffe intrigue par son origine onomastique. Les deux sources peuvent même n'en faire qu'une dans l'hypothèse ancienne d'un Tartuffe imité de M. Tuffes-Taraux, particulier croisé par Molière à Pézenas. Plus simplement, le nom de Tartuffe existait déjà en français puisqu'on l'a relevé dans le bizarre *Mastigophore* de l'abbé apostat Antoine Fuzy en 1609 : « Tu n'es qu'un tartuffe, un butor, une happelourde » — ce dernier terme signifiant « pierre fausse ». La transposition est immédiate de l'italien *tartùfo* qui désigne la truffe, mais peut aussi avoir le sens figuré de « méchant petit homme » dans le *Malmantile riacquistato* de Lorenzo Lippi (mort en 1665) et de « fourbe » dans *L'Astrologo* de Della Porta (mort en 1615). *Tartùfo* vient lui-même probablement de *terrae *tufer,* forme osco-ombrienne de *terrae tuber,* mot à mot : tumeur, excroissance, tubercule de terre. *Tuber,* qui donne en français protubérance, donne également — avec des variantes régionales d'où dérive le « tertufle » lyonnais qu'on vient de voir appliqué à Cretenet — la truffe. « Tartuffe » apparaît donc doublement apparenté à la truffe, par le sens et par la forme. Mais comment passer de la truffe à la ruse ? La dissimulation leur est commune, puisque la truffe — comme nul ne l'ignore — est un champignon souterrain s'engraissant des racines du chêne.

Entre truffe et ruse, un lien moins métaphorique peut être établi. *Truffe* (ou *truphe,* ou *trufle*) appartient à la langue du XVIe siècle français avec le sens de tromperie ; le verbe *trupher* se rencontre au chapitre VI du *Quart Livre* de Rabelais, pour dire « se moquer de » : « Halas, halas ! mon amy, nostre voisin, comment vous sçavez bien trupher des paouvres gens ! » Il s'agit d'un décalque de l'italien *trùffa,* qui signifie escroquerie ou fraude encore de nos jours. L'origine en est le bas-latin *trufa* (ou *truffa,* ou *trupha*) auquel Du Cange donne pour synonymes *fraus, nequitia, jocus.* Ce tardif *trufa* rejoint-il la généalogie décrite ci-dessus, de sorte que truffe et ruse s'enracineraient dans un même *tuber* ? Cela est évidemment possible, mais il paraît défendable et riche de connotations pour Tartuffe de rattacher le *trufa* latin, le *trùffa* italien et l'ancien *truffe* français au grec τρυφή, « mollesse, délicatesse, vie molle et sensuelle ». Le lien linguistique ne fait pas difficulté. Le lien sémantique entre sensualité et tromperie non plus, puisque θρύπτω — d'où provient τρυφή — veut dire à la fois « corrompre » et « faire semblant », et que plusieurs textes rapprochent significativement les deux notions : en particulier Platon, *République*, 590 *b*, et saint Pierre, Seconde Epître, II, 13-14.

Sans s'embarrasser d'étymologie, le spectateur pressent, à la seule inflexion de la voix sur les syllabes composant son nom, que Tartuffe est double. Le son A, explique le Maître de philosophie du *Bourgeois gentilhomme* (II, sc. 4), « se forme en ouvrant fort la bouche » — comme pour avaler ou bâiller : la gourmandise et la paresse ne sont-elles point les deux formes sous lesquelles apparaît d'abord la sensualité de Tartuffe (I, sc. 4) ? La rotonde plénitude de la syllabe « tar », où s'expriment la paix du ventre repu et la molle jouissance d'un lit de plume, s'achève et s'aiguise dans l'insinuation feutrée de la syllabe « tuf » : au bout du corps rebondi, le museau pointu (cf. II, 560 : « c'est un beau museau »). Pour prononcer le U, dit encore le Maître de philosophie, « vos deux lèvres s'allongent comme si vous faisiez la moue : d'où vient que si vous la voulez faire à quelqu'un et *et vous moquer de lui,* vous ne sauriez lui dire que U ». Molière n'a-t-il pas voulu « se moquer » de son héros et compenser par une sonorité ridicule ce qu'il peut aussi y avoir d'inquiétant dans la péjorative sonorité en « ar » qui disqualifiait le pendard et cafard Montufar ? Dans le nom de Tartuffe sont déjà aux prises les interprétations de la pièce dont il est l'éponyme.

La genèse de « Tartuffe »

1 / « Tartuffe, ou l'Hypocrite » (1664). — On ne sait quand Molière commença à songer au *Tartuffe,* mais c'est avec *L'Ecole des femmes* (26 décembre 1662) que les dévots parisiens eurent la première occasion sérieuse de répandre dans le public leurs attaques contre l'impiété du comédien-auteur. Le 29 janvier 1664 est donné au Louvre, devant le roi, *Le Mariage forcé.* Puis il faut se mobiliser pour la semaine exceptionnellement brillante des *Fêtes de Versailles* (7-14 mai), dites des *Plaisirs de l'île enchantée.* Le 8, la troupe de Molière joue *La Princesse d'Elide,* comédie galante composée pour la circonstance, et le soir du 12 représente un *Tartuffe* en trois actes. Sous quelle forme la pièce et son personnage principal s'offraient-ils, et quelles furent les réactions ? L'absence de compte rendu détaillé semble autoriser toutes les conjectures. Pour les uns, les trois actes de cet *Urtartuffe* ne sont autres — à quelques aménagements près — que les trois premiers actes du *Tartuffe* définitif, considérés comme formant à eux seuls une pièce complète : Molière n'achève-t-il pas *Le Mariage forcé* et *George Dandin* sur la proche perspective du cocuage triomphant ? Pour d'autres, et particulièrement J. Cairncross (*New Light on Molière,* Genève-Paris, Droz-Minard, 1956), l'*Urtartuffe* était bien complet en trois actes, mais son contenu correspondait aux actes I, III et IV de la pièce de 1669 ; l'intrigue amoureuse entre Valère et Mariane n'existait pas, et tout se terminait sur la déroute de l'hypocrite. En fait, la question est tranchée si l'on prend au sérieux le témoignage réitéré du comédien La Grange, qui tint le

Registre des représentations données par la troupe de 1659 à 1685 : aux *Plaisirs de l'île enchantée* furent donnés « trois actes du *Tartuffe* qui étaient les trois premiers »[1]. Et cela, non point pour la raison qu'ils eussent formé un spectacle autonome, mais tout simplement parce que la pièce n'était pas terminée : le roi, rapporte l'édition de 1673 des *Plaisirs,* « défendit cette comédie jusqu'à ce qu'elle fût entièrement achevée »[2]. Ainsi *Mélicerte* sera représentée, en 1667, inachevée aux fêtes de Saint-Germain. Comment Tartuffe paraissait-il sur la scène ? Semblable au futur Panulphe pour l'hypocrisie, mais son antithèse pour le vêtement. Le Tartuffe « déguisé » de 1667, selon les termes de Molière dans son second Placet, aura l'extérieur « d'un homme du monde » et portera notamment « un grand collet » (p. 891/31) — ce qui implique que l'original passait pour un homme d'Eglise et portait le petit collet. Non point prêtre (sinon, comment songer à lui faire épouser Mariane ?), mais clerc tonsuré ayant peut-être reçu les ordres mineurs et attendant un bénéfice ecclésiastique. Toute une catégorie sociale se sentit atteinte[3].

La réaction fut double : favorable de la part du roi, qui s'était fait lire la pièce avant d'en autoriser la représentation, et de la plus grande partie de la cour ; extrêmement hostile de la part des dévots, mobilisés déjà depuis un mois et qui réussirent à obtenir de Louis XIV — sous la pression de l'archevêque de Paris, Hardouin de Péréfixe — l'interdiction de jouer *Tartuffe* en public. Le roi « ne trouvait rien à dire dans cette comédie » (premier Placet, p. 890/30), mais il cédait temporairement soit au scrupule — tous les spectateurs pouvaient ne pas distinguer entre la vraie dévotion et sa contre-

1. *Recueil Mongrédien,* t. I, p. 214. Même affirmation pour la « visite » à Villers-Cotterêts du 20 au 27 sept. 1664 (*ibid.,* p. 224).

2. Cf., entre autres, *Le Roi glorieux au monde* (août 1664) de P. Roullé : le roi a ordonné à Molière « d'en supprimer [de sa comédie] (...) tout ce qui en était fait » (éd. Couton, p. 1144).

3. Cf. lettre de Desfontaines à H. de Lionne, *Recueil Mongrédien,* t. I, p. 287.

façon —, soit au rapport de forces. Il n'entendait point au demeurant laisser Molière sans appui face au déchaînement de ses adversaires : à la suite du premier Placet, il faisait supprimer le véhément pamphlet de P. Roullé *Le Roi glorieux au monde* (publié en août sans privilège) où l'auteur de *L'Hypocrite* était dénoncé comme « un démon vêtu de chair et habillé en homme », méritant le feu d'un « supplice exemplaire et public » avant l'éternelle damnation (éd. Couton, p. 1143). L'année suivante, malgré le redoublement de scandale causé par *Dom Juan,* Louis XIV donna son nom à la troupe de Molière avec une pension de 7 000 livres et fit créer à Versailles *L'Amour médecin* en septembre. Rassuré par ces marques de faveur, Molière n'en continuait pas moins à œuvrer pour son *Tartuffe* par des lectures ou des représentations particulières : notamment devant le cardinal Chigi, neveu et légat du pape, en juillet 1664 ; à Villers-Cotterêts en septembre, chez le duc d'Orléans (les trois premiers actes) ; le 29 novembre au Raincy, chez la princesse Palatine, pour le prince de Condé (un *Tartuffe* pour la première fois signalé « en cinq actes » par La Grange) ; le 8 novembre 1665 au même endroit (mais, entre-temps, Molière a décidé de remanier la pièce et le fils du Grand Condé, qui transmet l'invitation, ignore « si le quatrième acte [*est*] fait »)[1]. Comme toujours dans l'histoire de la censure, l'interdiction de l'œuvre ne fit que redoubler le désir de l'entendre, et il n'y eut point d'amphitryon fâcheux qui ne tentât d'attirer quelques victimes à une après-dînée par la fallacieuse promesse : « Molière avec Tartuffe y doit jouer son rôle »[2].

2 / « Panulphe, ou l'Imposteur » (1667). — Les aménagements apportés par Molière à sa pièce tirent du roi une

1. Lettre à M. de Ricous, *Recueil Mongrédien,* t. I, p. 249-250. Le remaniement n'est toujours pas achevé en février 1666 (lettre de Lionne à d'Alibert, citée *ibid.,* p. 257).
2. Boileau, Satire III (composée en 1665), v. 25.

approbation, voire une autorisation verbale : « Votre Majesté avait eu la bonté de m'en permettre la représentation » (second Placet, p. 892/32). Lorsque celle-ci a lieu, le 5 août 1667 au Palais-Royal, Louis XIV cependant n'est plus à Paris : il guerroie en Flandre espagnole pour imposer les droits de Marie-Thérèse ; les dévots ont le champ libre dans la capitale, d'autant plus qu'un des leurs, le président de Lamoignon, y exerce pendant l'absence du roi l'autorité sur l'administration et la police. Molière avait multiplié les concessions, Tartuffe devenant Panulphe, l'*Hypocrite* se muant en *Imposteur* et l'homme d'Eglise en homme du monde — avec « un petit chapeau, de grands cheveux, un grand collet, une épée, et des dentelles sur tout l'habit » (*ibid.,* p. 891/31). Les passages trop litigieux avaient été adoucis ou retranchés. Molière reconnaissait pourtant qu'il s'agissait davantage d'un déguisement que d'une métamorphose, et les dévots ne s'y sont pas trompés. Dès le lendemain de la première, Lamoignon fait suspendre les représentations et garder la salle ; les diverses démarches tentées, dont une visite de l'auteur[1], resteront sur lui sans effet. Molière rédige aussitôt un second Placet, porté par les comédiens La Grange et La Thorillière « au roi dans son camp devant la ville de Lille en Flandre » : il obtiendra une réponse encourageante mais dilatoire. Le 11 août, l'archevêque Péréfixe donne une ordonnance beaucoup plus restrictive que l'interdiction royale de 1664, puisqu'elle fait défense à toute personne du diocèse de Paris « de représenter, lire ou entendre réciter » la comédie en question, « soit publiquement soit en particulier, sous quelque nom et quelque prétexte que ce soit, et ce sous peine d'excommunication » (éd. Couton, p. 1145). Condé seul osera passer outre, le 4 mars 1668, en son hôtel parisien, puis le 20 septembre de la même année en son château de Chantilly.

Dans l'intervalle, une voix s'était fait entendre pour la

1. V. p. 15.

défense de Molière, celle de l'auteur anonyme d'une *Lettre sur la comédie de l'Imposteur* (20 août 1667). Ce document, que l'on suppose émané de l'entourage de Molière, est doublement précieux. D'une part, en ce qu'il fournit le commentaire suivi et perspicace d'un contemporain, spectateur de l'unique représentation publique de *L'Imposteur*. D'autre part, en ce que son analyse détaillée de l'intrigue permet de mesurer les différences séparant les versions de 1667 et de 1669. Elles sont au demeurant minimes. Le texte définitif sera allégé de quelques répliques et de quelques scènes. Cléante ne visera plus Madame Pernelle, à la première scène, par des remarques acerbes sur l'humeur des gens âgés ; Tartuffe s'étendra moins sur l'humaine faiblesse qui le rendait presque pitoyable au cours de son premier entretien avec Elmire, et sur les subtilités de la casuistique dans le second ; surtout, Orgon ne s'emportera plus immédiatement contre sa femme et son fils lorsque lui sera révélée la tentative de séduction, mais il écoutera avant de s'en prendre au seul Damis les explications de Tartuffe, laissant les spectateurs dans le suspens quant à l'objet de son indignation. Molière également supprimera deux scènes — l'une après la sortie de Madame Pernelle, l'autre après le dépit amoureux du second acte — où les adversaires de Panulphe se concertaient pour agir contre le projet de mariage : outre le gain en rapidité, cette modification introduit une tension dramatique supérieure en n'opposant au couple Orgon-Tartuffe qu'une famille unie, certes, dans les sentiments mais dispersée dans la contre-attaque.

3 / « Le Tartuffe, ou l'Imposteur » (1669). — Ce *Tartuffe* plus resserré et efficace sera enfin produit en public le 5 février 1669, avec l'immense succès que laissaient escompter cinq années d'interdiction. L'appui royal ne s'était jamais démenti, mais après les victoires extérieures (paix d'Aix-la-Chapelle en mai 1668) et l'apaisement intérieur (« paix de l'Eglise » la même année), il pouvait s'imposer sans résistance. Molière, le jour même de la représentation, exulte de reconnaissance dans un troisième Placet présenté au roi où Louis se trouve divinement crédité de la « résurrection de *Tartuffe* » (p. 893/33). Gageons que ce mot ne dut guère contribuer à réconcilier l'auteur avec les dévots. Ceux-ci pourtant n'avaient pas tout perdu puisque le Tartuffe de 1669, en quittant l'élégance mondaine de Panulphe, ne revenait point à l'état ecclésiastique et quasi sacerdotal du premier : il figurait le directeur de conscience laïc dont la fonction, admise au XVIIe siècle, s'accommodait naturellement d'éventuelles aspirations matrimoniales. Afin de pérenniser sa victoire, Molière se hâte de confier le texte à l'imprimeur. Le 15 mars, privilège lui est accordé pour dix ans, et le 23 sort des presses *Le Tartuffe, ou l'Imposteur* accompagné de sa Préface. Moins de trois mois après, chez Jean Ribou encore, paraît une seconde édition contenant les trois Placets. Molière est désormais au-delà des atteintes de toute censure, hormis celle — imprévisible — du temps.

Le texte

Infiniment plus complexe encore que l'histoire de sa production, celle des interprétations de *Tartuffe.* On ne peut ni l'oublier ni la répéter. Le plus sûr, lorsque le mystère du prétexte le cède à l'inépuisable du texte, est de partir de l'évidence : *Tartuffe* est une œuvre dramatique dont le sujet tourne autour de cette espèce particulière d'imposture que suscitent par un accident pourtant nécessaire les valeurs reçues d'une société, et qui a nom hypocrisie. Ici plus que jamais doivent être pris en compte la forme du texte et son rapport intime au contenu, car le théâtre est le lieu de l'ὑποκριτής et l'hypocrisie est déjà théâtralité. C'est pourquoi, en examinant d'abord la dramaturgie du *Tartuffe* puis son analyse de l'hypocrisie, c'est une seule et même réalité qu'on tentera de cerner à travers deux perspectives — l'une plus technique, l'autre plus idéologique — dont l'existence séparée n'a qu'un être de raison.

I. DRAMATURGIE

La dramaturgie sera appréhendée initialement dans les cadres qu'elle se donne à elle-même au temps de Molière, c'est-à-dire — pour se borner à l'essentiel — la triple unité requise du lieu, du temps et de l'action ; un second moment doit la saisir dans le dynamisme de ses phases, séquences de scènes dont l'exposition et le dénouement constituent les principaux points d'ancrage.

Les cadres dramaturgiques

1 / Le lieu

Le lieu apparaît comme espace, comme décor et — éminemment dans *Tartuffe* — comme enjeu.

L'unité de lieu est parfaitement observée dans la pièce. La scène est à Paris, dans la maison d'Orgon. L'espace traditionnellement ouvert et public de la comédie (« une place de ville » dans *L'Ecole des femmes,* « une place publique » dans *Le Mariage forcé*) devient ici, sans métaphore, un espace intérieur. Il s'agit toujours d'un carrefour, mais domestique : la « salle basse » (v. 873), salon situé au rez-de-chaussée, est le lieu où se croisent normalement toutes les démarches des visiteurs et des habitants de la maison. Espace, en un sens, public dans le privé — comme la « galerie » (v. 1522) attenante —, ouvert sur le dehors par la vie mondaine, mais susceptible aussi de se refermer à la façon d'un piège (cf. v. 1406). Ailleurs, des réceptacles d'intimité où peut se fomenter la menace du secret : le « petit cabinet » donnant sur la salle « est propre pour surprendre » (v. 430) ; au premier étage (« là-haut », v. 214), les appartements particuliers abritent l'incompréhension des époux dont rien ne filtre, et cachent les sommeils prolongés d'un Tartuffe rêvant plus à la cassette d'Orgon qu'à sa haire et sa discipline. Autour de la maison, l'encombrement des carrosses forme habituellement (cf. v. 88) une couronne d'amicale protection (Valère propose le sien pour conduire Orgon « en lieu sûr », v. 1853) mais le regard des voisins l'assiège d'un cercle de malveillance (cf. v. 92, etc.). Le pouvoir qui réside en la ville-capitale est gros d'une pareille ambivalence : il maintient le bon droit dans ses meubles mais, abusé, peut l'envoyer au « gîte » (v. 1862) d'une prison. A l'écart de Paris sans en être éloignée, une « maison des champs », comme l'appelle le XVIIe siècle, appartient probablement à Orgon : c'est de là qu'il doit revenir au premier acte. Beaucoup plus distante, la Normandie natale de Monsieur Loyal (v. 1741), terre d'élection en comédie des chicaneurs et des procéduriers. Enfin, perdu dans une brume où flottent des «fiefs » (v. 493) imaginaires, le désolant pays de Tartuffe dont les élégances à la Pourceaugnac s'arbitrent chez « madame la baillive et madame l'élue » (v. 662).

Le décor représente le salon parisien d'un riche bourgeois. Une porte le sépare du « petit cabinet » où se dissimule Damis, une autre sans doute mène aux étages, une troisième donne sur la galerie : c'est par cette dernière que le fils est chassé à la fin du troisième acte, c'est elle encore qu'Elmire demande à Tartuffe de fermer pour lui faire ses confidences (v. 1389), puis d'ouvrir pour échapper aux assauts du lubrique (v. 1521). Ce décor peut sans peine être imaginé luxueux, mais les accessoires indiqués par le *Mémoire de Mahelot* sont purement fonctionnels : « deux fauteuils, une table, un tapis dessus, deux flambeaux, une batte ». Les fauteuils servent, ainsi qu'il est précisé dans le texte (v. 884), au premier entretien de Tartuffe et d'Elmire. La table, qui passe des confins au premier plan de la scène (« *Approchons* cette table », v. 1360), est le principal personnage de l'acte IV ; Orgon se cache sous les pans du tapis qui la recouvre. Les deux flambeaux sont allumés à la fin de la pièce, car le soir tombe vite : Molière souligne discrètement son respect de l'unité de temps. L'instrument farcesque qu'est enfin la batte, attribut d'Arlequin, n'intervient dans nulle bastonnade : c'est la menace seule, et non point le bois, qui est brandie par Orgon (v. 1135), Damis (v. 1768) et Dorine (v. 1804) ; il peut tenir lieu à Monsieur Loyal de la baguette signalant sa fonction d'« huissier à verge » (v. 1742), à moins qu'il ne soit utilisé par l'Exempt pour immobiliser symboliquement Orgon, puis Tartuffe : le retournement de situation n'en serait que plus spectaculaire.

Mais le lieu dans *Tartuffe* n'est pas seulement l'espace du jeu, il est aussi enjeu. L'adverbe « céans », si souvent employé dans la pièce, renvoie presque toujours à un rapport de maîtrise : Damis ne peut souffrir « qu'un cagot de critique / Vienne usurper *céans* un pouvoir tyrannique » (v. 45-46), ni Dorine « qu'un inconnu *céans* s'impatronise » (v. 62) ; Orgon accuse la suivante d'avoir « pris *céans* certaines privautés » (v. 476), en attendant de commander à son hypocrite : « Dénichons de *céans* » (v. 1554). La lutte dans *Tartuffe* s'ordonne autour de l'occupation du terrain. En tant que parasite, Tartuffe est le dehors dedans ; à partir de cette donnée initiale, deux séries d'affrontements vont se succéder : la famille, contre son chef, ne tend qu'à l'expulsion de l'intrus (v. 1121-1122) alors qu'en sens inverse Orgon fait tout pour le retenir (v. 1123-1124) et chasse son fils au lieu du profiteur ; lorsque l'imposteur sera démasqué, la conséquence immédiate sera son ex-termination (« Il faut, tout sur-le-champ, sortir de la maison », v. 1556), suivie par contrecoup des tentatives ouvertes de Tartuffe pour s'approprier les lieux aux dépens de ses légitimes — sinon légaux — occupants. La crise est en l'occurrence ce moment où les coexistences ne peuvent plus perdurer, où la présence d'une personne ou d'un groupe devient exclusive de la présence d'une autre personne ou de l'autre groupe : « S'il rentre céans — dit Tartuffe de Damis — c'est à moi d'en sortir » (v. 1208). Pour le parasite comme pour son hôte, il n'est pas de plus grande catastrophe matérielle et symbolique que de « vider » (v. 1749) les lieux. L'orgueil de Tartuffe ne pardonnera jamais à Orgon de l'avoir, en l'expulsant, traité comme le gueux qu'il est ; et le cri lamentable d'Orgon menacé du même sort (v. 1779-1780) trahit, avec l'angoisse du lendemain, l'humiliation de celui qui parlait « en maître » (v. 1557) quelques heures auparavant et doit désormais reconnaître par sa fuite qu'un homme de néant est à sa place devenu « maître et seigneur » (v. 1755).

2 / Le temps

En cercles concentriques, le passé enserre le présent de la comédie. L'autrefois est représenté par Madame Pernelle, qui se rappelle ses leçons à Orgon enfant (v. 1664), ses prédictions sur l'inquiétant avenir du petit Damis (v. 20) au temps où sa première bru devait être encore en vie : pour elle, tout va de mal en pis, le devenir n'est que dégradation et cependant il en a toujours été ainsi puisque la même sagesse grincheuse s'éprouve éternellement d'actualité sous la forme du proverbe et du radotage. Contemporains aussi de l'« autrefois » (v. 1939), les troubles de la Fronde, où Orgon sut prendre le parti du prince ; Tartuffe alors commençait sans doute une carrière dont l'Exempt évoque la longue fécondité ; la fuite d'Argas semble plus récente, puisque la police n'a pas clos son enquête (v. 1589). Il y a quelques mois, la fille de la maison a été promise à Valère et on a fixé un jour pour le mariage, mais dans l'intervalle Tartuffe s'est installé, a pris feu pour Elmire et « surtout depuis un certain temps » (v. 79) s'oppose par jalousie aux visites mondaines qu'attirent son esprit et sa beauté. Voici deux jours, Orgon est parti pour affaires à la campagne, laissant une épouse souffrante ou sur le point de l'être : il la retrouve aujourd'hui convalescente.

Quel est cet aujourd'hui de la pièce ? Un jour de mauvaise saison (« La campagne à présent n'est pas beaucoup fleurie », v. 225 : les rhumes peuvent être de bons prétextes et l'on a de la réglisse à portée) sous le règne pacificateur de Louis XIV. Tout se passe, comme souhaitent les doctes, en moins de douze heures. Deux indications chronologiques : au début de l'acte IV, quand Tartuffe quitte Cléante, il est « trois heures et demie » (v. 1266) — le moment de réciter Vêpres ; le dernier acte se déroule avant la nuit puisque Loyal parle d'elle au futur (v. 1783), mais la présence des flambeaux signale l'approche du soir. L'action des trois premiers actes a certainement lieu le matin : Tartuffe ne manquerait pour rien au monde l'heure du déjeuner, qui se prend en commun ; or, quand il descend de sa chambre à la scène 2 de l'acte III, il est visible qu'il n'a encore rencontré ni Dorine et son sein découvert, ni Elmire remise de sa fièvre. Les intervalles entre ces actes *ante meridiem* seront nécessairement réduits. A la fin du premier, Orgon avait en tête un nouveau projet de mariage pour sa fille ; il le lui expose au début du second sans qu'il soit fait mention du moindre retardement. Un délai est cependant nécessaire entre I, 5 et II, 4 pour que Cléante puisse prévenir Valère, et celui-ci accourir. Entre les actes II et III, il suffit que Dorine consulte Elmire sur la résolution d'Orgon touchant Mariane et qu'elle l'annonce à Damis. L'intervalle est plus long au-delà du troisième acte : Orgon doit faire établir dans les règles l'acte de donation de tous ses biens à Tartuffe (v. 1177-1178) et préparer le contrat de mariage entre sa fille et l'hypocrite (v. 1277). Entre les quatrième et cinquième actes, Tartuffe chassé de la maison obtient une ordonnance imposant l'exécution du contrat de donation, puis il se rend au Louvre afin de dénoncer son bienfaiteur : « une heure » (v. 1836) après — le temps que Valère apprenne la démarche et prenne ses mesures pour secourir Orgon —, il est de retour accompagné de l'Exempt. La succession des événements heurte le sens du probable, mais pas celui du possible.

Avant même d'intervenir entre les actes, la précipitation était sensible sur la scène. Parce que le théâtre classique se concentre sur le moment d'une crise, son rythme implique l'accélération. La première scène de *Tartuffe* est déjà une course, et l'adverbe « vite » apparaît dès le sixième vers. Le nouvel arrangement matrimonial doit se conclure « dans peu » (v. 467), alors que l'intéressée vient tout juste d'en être avertie ; et encore ce délai se raccourcit-il en se précisant : « dès ce soir » (v. 1128). Le vocabulaire d'Orgon comme son attitude sont marqués par la hâte : « Vite, quittons la place » (v. 1138), hurle-t-il à Damis ; la donation à Tartuffe est à faire « de ce pas » (v. 1177) et le cagot sera chassé « sur-le-champ » (v. 1556) — frénésie qui est l'envers d'une lenteur insupportable à se désabuser. La réaction du clan anti-Tartuffe est dilatoire d'abord avec Dorine, à la fin du deuxième acte ; puis empressée à saisir l'occasion favorable, lorsque au troisième Damis dénonce Tartuffe à son père ; elle sera instantanée (« sans aller plus loin », v. 1351) quand Elmire décide au quatrième d'imposer l'épreuve de la table. Tartuffe de son côté a intérêt à brusquer son mariage avec Mariane (« un hymen qui s'apprête », v. 1446) ; en amour il est vorace (« Quoi ! vous voulez aller avec cette vitesse ? », v. 1453), et foudroyant en affaires. La précipitation atteint son comble au dernier acte, où Orgon ne cesse de courir : les menaces de Tartuffe ne semblent pas devoir se traduire en effets trop pressants, mais arrivent Monsieur Loyal qui ne laisse qu'une nuit, Valère qui réclame une fuite immédiate, Tartuffe enfin qui anéantit tout délai. La force dramatique nait ici, comme dans la grande tragédie, d'une coïncidence presque parfaite entre le temps réel et le temps fictif.

3 / L'action

A première vue, l'action dans *Tartuffe* suit le schéma traditionnel de la comédie : un couple de jeunes amoureux voit son désir de mariage traversé par un obstacle que la pièce a pour fonction d'éliminer (après l'avoir suscité) pour que ledit mariage ait lieu. L'intrigue sentimentale est tôt évoquée dans *Tartuffe,* à l'occasion même de la menace qui pèse sur elle : « De l'hymen de ma sœur touchez-lui quelque chose. / J'ai soupçon que Tartuffe à son effet s'oppose », déclare Damis à Cléante (v. 217-218). L'obstacle est levé à la fin de l'acte IV, lorsque le parasite est chassé de la maison, et le mariage initialement prévu est annoncé à la fin de l'acte V, après la réconciliation d'Orgon et de Valère. En fait, il apparaît peu à peu que le péril sur le bonheur de Mariane n'est — dans le temps de la pièce — que le premier d'une série de coups portés à l'unité et à la stabilité de la famille. Un second péril surgit en effet à la scène 3 de l'acte III, avec les desseins avérés de Tartuffe sur la femme de son hôte, auxquels l'expulsion de Damis doit donner (v. 1172-1174) un cours plus propice. La double menace née successivement sur le bonheur de Mariane et sur la vertu d'Elmire, après avoir connu un paroxysme pendant le quatrième acte, tombe d'un coup à la fin de celui-ci. Elle est relayée par deux autres périls, eux aussi parallèles. Le premier est représenté par la donation : son acte de naissance se place à la fin du troisième acte, quand Orgon déclare vouloir déshériter Damis au profit de Tartuffe (v. 1176), et son paroxysme coïncide avec la sommation de Monsieur Loyal (acte V, sc. 4). Le second est représenté par la cassette : son acte de naissance est antérieur à la pièce, mais porté à notre connaissance à la fin de l'acte IV, et son paroxysme coïncide avec l'arrivée de l'Exempt (acte V, sc. 7). Cette double menace, née successivement comme la première, tombe comme elle d'un seul coup, à la fin du dernier acte. Et c'est à l'instant précis (fin du IVe acte) où les deux premiers dangers cessent d'être actuels que les deux suivants cessent d'être virtuels pour devenir actuels à leur tour : Tartuffe démasqué passe de la guerre couverte à la guerre ouverte.

Cette double dualité de périls n'est-elle pas le tombeau de l'unité d'action ? Elle le serait s'ils intervenaient sans lien ni ordre, ce qui n'est point le cas. Les quatre menaces sont reliées *extérieurement* par leur gradation. Au moins pour la conscience du XVIIe siècle, il est plus grave de corrompre une femme mariée que de faire épouser à une jeune fille un homme qu'elle n'aime pas. Ici, la vertu n'est risquée qu'indirectement (« Sachez que d'une fille on risque la vertu / Lorsque dans son hymen son goût est combattu », v. 507-508) ; là, elle est attaquée de front. Ces deux menaces, issues de l'espace domestique et dirigées contre deux membres de la famille, sont ensuite dépassées par celles qui, venant de l'extérieur, visent l'ensemble de la famille dans sa territorialité puis dans son honorabilité. Extérieurement encore, les périls ont en commun la source d'où ils découlent, à savoir la volonté d'Orgon : c'est le père-maître qui décide du mariage de sa fille ; c'est de son ordre qu'Elmire peut se prévaloir lorsqu'elle s'expose au plus pressant danger d'agression physique (« Il veut que nous soyons ensemble à tous moments ; / Et c'est par où je puis (...) / Me trouver ici seule avec vous enfermée », v. 1404-1406) ; c'est lui aussi qui choisit de remettre à Tartuffe la cassette et de lui donner tous ses biens. Et la volonté d'Orgon elle-même trouve son principe dans celle de Tartuffe, qui est en dernière instance l'homme par qui le péril arrive. L'unité d'action peut ainsi se décrire comme l'effort continu de l'imposteur pour accroître son aire de prédation. Elle se traduit dans l'intrigue par la liaison *interne* cette fois des quatre menaces précitées : la démarche par laquelle Elmire tente de conjurer le danger visant Mariane attire le danger sur sa propre personne, au cours d'un entretien avec Tartuffe qui a pour conséquence immédiate l'expulsion de Damis et le transfert d'héritage, et pour conséquence seconde — à travers sa répétition — l'expulsion de Tartuffe et donc l'utilisation par celui-ci des moyens de représailles mis imprudemment à sa disposition.

Les phases dramatiques

Le découpage traditionnel d'une pièce résulte d'une convention que ne justifie aucune nécessité immanente au texte. « Les unités que constituent les actes et les scènes, écrit G. Conesa, sont purement formelles et ne correspondent que rarement, du moins dans la comédie moliéresque, à l'ensemble d'un épisode dramatique, voulu homogène par l'auteur et perçu comme tel par le spectateur »[1]. D'où la recherche, chez les critiques contemporains, d'unités nouvelles — baptisées « mouvements » (J. Scherer) ou « séquences » (G. Conesa) — qui ne doivent plus leurs limites aux contingences du mouchage des chandelles, mais à la cohérence interne des moments dramatiques. La coïncidence entre acte et séquence, toujours possible, sera d'autant moins la règle que le dramaturge — et particulièrement Molière — s'efforce de préserver la continuité d'une situation par-delà l'interruption de l'entracte[2] : ainsi le spectateur peut tout de suite se laisser reprendre par la fascination du familier. Quel critère adopter pour la délimitation des séquences ? Dans une perspective principalement dramatique, il convient de suivre les articulations de l'action. Après une séquence d'exposition qui présente la famille d'Orgon (sc. 1), puis Orgon lui-même (à travers la description de Dorine : sc. 2 ; à travers ses propres paroles : sc. 4 et première partie de la sc. 5), on trouvera donc une séquence correspondant au premier péril désigné ci-dessus dans l'analyse de l'unité d'action : de la cinquième scène du premier acte à la fin du deuxième acte, soit depuis les dérobades d'Orgon jusqu'à la réconciliation des jeunes gens, c'est la menace pesant sur le couple Valère-Mariane qui occupe le premier plan. Au début de l'acte III, ce péril initial en enclenche un autre, pesant cette fois sur Elmire : comme il naît d'un premier entretien avec Tartuffe, il disparaît — annulant du coup le péril initial — à l'issue du second (acte IV, sc. 7). L'expulsion du parasite entraîne l'ouverture d'une quatrième et dernière phase, celle de l'agression extérieure, où l'enjeu n'est plus sentimental ou moral, mais financier et politique ; elle se clôt sur la glorieuse épiphanie de la justice royale.

1. *Le Dialogue moliéresque*, p. 194.
2. Rappelons qu'au XVIIe siècle une pièce en cinq actes est effectivement coupée par quatre entractes.

1 / La séquence d'exposition (I, 1-I, 5)

« Au théâtre, remarque P. Larthomas dans sa thèse sur *Le Langage dramatique,* dès que les éléments d'information l'emportent sur les éléments affectifs, le style paraît moins efficace »[1]. Toute la difficulté technique des scènes d'exposition consiste à concilier l'exigence d'information et l'intérêt pour l'action. Il faut à la fois transmettre les données indispensables à l'intelligence du spectacle (identification et motivations des personnages) et imprimer déjà son mouvement à la pièce. Dans *Le Tartuffe,* comme dans *Le Misanthrope,* Molière réussit à mettre l'information en mouvement parce qu'il ouvre la comédie sur un conflit en cours. La première vision est d'une fuite : « Vous marchez d'un tel pas qu'on a peine à vous suivre » (v. 2) ; elle traduit dans l'espace un antagonisme qui s'exprime, du côté de Madame Pernelle, en répliques acerbes. La dispute est le moyen le plus efficace pour transmettre l'information relative aux personnages et à la situation, car la sincérité est à vif (« Je vous parle un peu franc, mais c'est là mon humeur, / Et je ne mâche point ce que j'ai sur le cœur », v. 39-40), le dialogue nerveux et pressé, abondant en renseignements sur le locuteur autant que sur le destinataire. De la façon la plus « naturelle », dans *Tartuffe,* les présentations se font sur le mode de l'insulte : loin que l'élément référentiel étouffe l'élément émotif, il en jaillit avec toutes les apparences de la spontanéité. L'information est donc portée par une dynamique, et non débitée consciencieusement par un porte-parole appointé. Il faut aussi qu'elle passe clairement, sans déficit — ce qui est d'autant plus délicat à réaliser en l'occurrence que la scène, par exception, est remplie comme pour un dénouement. Soucieux d'éviter une confusion nuisible à la compréhension du spectacle, Molière adopte une distribution radiale des répliques : cha-

1. IIe part., chap. IV : « Action et situation », p. 129 (éd. 1980).

cun des personnages présents — sauf Flipote — s'adresse, selon l'ordre d'autorité (de la plus faible : celle de la suivante, à la plus forte : celle du raisonneur), à Madame Pernelle qui les interrompt chaque fois pour les assassiner de leur propre portrait (v. 13-40). La parole part donc régulièrement de la périphérie vers un centre unique qui la renvoie en direction de son premier émetteur.

Quelle est la teneur des informations transmises ? Les personnages sont situés à l'intérieur de la famille (« ma bru », v. 3 ; « ma mère », v. 6 ; « mon fils, votre père », v. 18 ; « sa sœur », v. 21 ; « monsieur son frère », v. 33) ou par rapport à elle (« vous êtes, mamie, une fille suivante », v. 13). Ils sont, simultanément, fixés dans un trait de caractère ou de comportement. La première indication étant décisive au théâtre, chacun reçoit sa part de vérité. Madame Pernelle ne porte pas sur les autres de jugement objectif, mais elle ne ment pas ; et la déformation qu'elle leur inflige est immédiatement corrigée par la connaissance qu'elle nous donne de sa partialité. Aussi le premier personnage décrit sera-t-il celui qui décrit les autres. Pernelle est la version féminine du barbon — celui dont la vocation scénique est d'être trompé ; en tant que grand-mère, on osera même la qualifier de barbon au carré. Avant que ses paroles ne la jugent en prétendant juger autrui, son visage et ses habits dénoncent une vieillesse qui pardonne rarement chez Molière. « L'austérité ridicule du temps passé », comme s'exprime la *Lettre sur l'Imposteur* (éd. Couton, p. 1149), condamne par sa bouche l'aisance du présent, avec une brusquerie que l'hérédité a modulée en colère chez son fils, en impétuosité chez son petit-fils ; avec également un mélange d'égoïsme et de moralisme (v. 8-9 : « de *me complaire* on ne prend nul souci. / Oui, je sors de chez vous *fort mal édifiée* ») où s'annonce toute l'ambivalence du rapport d'Orgon à la religion.

Il est parfaitement exact d'affirmer, comme fait l'aïeule, que Dorine se mêle de donner son avis sur tout ; elle est d'ailleurs la première à intervenir dans la discussion entre belle-mère et bru. Le qualificatif même d'« impertinente » (v. 14) se révélera mérité par ses libertés de langage à l'égard du maître, traité notamment de « fou » au vers 475. Pour l'heure, c'est Damis que l'acariâtre Pernelle appelle un « sot » (v. 16) : ôté la valeur affective du vocable, reste chez le personnage une impulsivité aveugle aux conséquences de ses actes, que mettra en lumière l'interruption forcenée de l'entretien entre Elmire et Tartuffe, au moment où la jeune femme allait museler l'imposteur (acte III, sc. 4). Sa sœur, Mariane, est dite « discrète » et « doucette » (v. 21 et 22), ce que l'acte II confirmera amplement ; plus piquant est le reproche de sournoiserie : Madame Pernelle décrit sa petite-fille comme une hypocrite dans le temps qu'elle-même se fait berner par un véritable hypocrite. Mais ici encore la vérité n'est pas totalement absente, car si Mariane est indemne de duplicité, elle n'est pas exempte d'une certaine dualité en ce que sa douceur cache une inflexible résolution : plutôt la mort qu'épouser Tartuffe (v. 614). Sa belle-mère Elmire, dont le nom résonne comme admirable, est l'anti-Pernelle. Alors que « cette bonne femme » (v. 173) se montre brutale et insolente, à la limite de la grossièreté, Elmire représente la politesse dévouée — elle raccompagne sa belle-mère bien que relevant de maladie —, l'élégance et la séduction. Avec elles, deux perspectives s'opposent, entre lesquelles le spectateur doit prendre parti — a déjà pris parti en fait au premier coup d'œil sur la scène : la roideur passablement souillon (la *Lettre sur l'Imposteur* témoigne « qu'à son air et à ses habits » on ne prendrait pas Madame Pernelle « pour la mère du maître de la maison », p. 1149) des vieux âges et l'idéal raffiné d'*imitatio nobilitatis* qui transparaît dans le vêtement, les manières et le langage d'une bourgeoisie éblouie par cette Jeune Cour de Versailles pour laquelle le premier *Tartuffe* fut joué avec tant de succès. En dernier lieu, parce qu'il appartient à la périphérie de la cellule familiale et porte sur elle le regard distancié du « théoricien », Cléante, frère d'Elmire, prétend à la parole. Son statut de *raisonneur* est affiché d'emblée (v. 35 : « Sans cesse vous prêchez des maximes de vivre »), ce qui le pose en symétrique de Pernelle, elle-même donneuse de « leçons » (v. 10) : ironie de Molière vis-à-vis d'un personnage virtuellement pontifiant, mais dont le discours n'est pas pour autant déprécié. Son rôle pondérateur dans l'équilibre dramatique, où il représente la dévotion « honnête » face à la religion fanatique, n'exclut nullement la fonction de Norme morale.

Ainsi, en quarante vers, tous les personnages présents sont définis : leurs actes et propos futurs ne feront que déployer une essence à jamais identifiée. Cette exposition est en même temps prise de position : dynamique en elle-même puisque emportée par le tempo du conflit, elle sollicite l'engagement du spectateur. Deux autres éléments doivent encore être portés à sa connaissance, l'origine du conflit et le rapport des forces.

L'origine du conflit se dévoile lorsque pour la première fois est prononcé le nom de Tartuffe (v. 41). Cette information capitale briserait la dynamique de l'échange si elle était présentée pour elle-même ; elle interviendra donc comme réplique dans la discussion (Madame Pernelle ayant critiqué tous les présents, il est compréhensible que soit mis en avant le nom de la seule personne qui trouve grâce à ses yeux). En même temps, son importance doit être mise en valeur : elle arrive à un moment où le dialogue pourrait finir, le cercle des interlocuteurs ayant été intégralement parcouru, et elle le fait rebondir sur un rythme tout différent. Jusqu'alors Madame Pernelle avait eu l'initiative et quasiment le monopole de la parole ; désormais les répliques s'équilibrent et la peu religieuse bigote — qui ne craint pas d'employer le nom de Dieu dans un juron (v. 170) — perd à ce point la maîtrise de la conversation qu'elle finit par ne recueillir plus que le rire. Alors que, dans la première partie de la scène, le vecteur émotif de la colère transmettait l'information, c'est maintenant l'élément référentiel de la nomination de Tartuffe (aucun personnage parlant de la scène n'est appelé par son nom) qui relance l'émotion, avec son cortège subséquent d'informations complémentaires. Le seul fait pour Tartuffe d'être défendu par Pernelle signifie dramaturgiquement sa condamnation, et, bien avant de paraître sur le théâtre, il est connu pour ce qu'il est. Dorine lâche le grand mot d'« hypocrisie » dès le vers 70. Aussi l'entrée fort attendue de l'intéressé à l'acte III donnera-t-elle au spectateur non le plaisir, toujours mêlé, de la surprise mais celui, plus sensible à l'amour-propre, d'avoir eu raison. Le suspens néanmoins est ménagé en ce que le portrait de Tartuffe se complète par touches, jusqu'à ce que l'original vienne coïncider avec lui : l'hypocrisie, pour le moment, n'est pas au centre du tableau, mais la tyrannie du personnage et son originelle gueuserie — avec une allusion, préparant la scène 3 de l'acte III, à une possible inclination pour Elmire (v. 84). Il pèse surtout par sa place dans le rapport des forces : Pernelle n'est plus seule contre tous, ou plutôt elle n'apparaît seule ici que parce qu'elle est l'alliée de Tartuffe.

La question alors est de savoir d'où vient à Tartuffe sa position dominante, s'il n'a pour lui qu'un personnage « extérieur » et déconsidéré, et contre lui les forces vives de la famille. La réponse est à peine esquissée à la première scène (« Et mon fils à l'aimer vous devrait tous induire », v. 54), mais amplement développée aux scènes 2, 4 et 5 : Tartuffe ne remplacera pas un père mort ni ne s'impose de force à un père vivant, il est imposé à tous comme maître par le maître lui-même. A l'instar de Tartuffe, mais sur une plus courte distance, Orgon est présenté en deux temps — dans le discours d'autrui, puis en propre personne, et là encore l'apparition vient combler exactement le creux de l'attente. Orgon, disait Dorine, aime Tartuffe « cent fois plus qu'il ne fait mère, fils, fille et *femme* » (v. 186) ; la scène 4 le montre en effet parfaitement indifférent aux malaises de son épouse. Comme chez tous les grands maniaques de Molière, le rapport d'Orgon à son obsession se décrit en termes amoureux. L'objet de la passion se présentant ici sous la forme d'une personne, Orgon sera plus dépendant d'un être capable de se conformer à son désir pour l'accroître (« Lui, qui connaît sa dupe et qui veut en jouir, / Par cent dehors fardés a l'art de l'éblouir », v. 199-200) qu'un Harpagon de son inerte cassette ; en revanche, il lui sera possible d'être désabusé — non par une modification de sa structure de sujet aimant, mais par le défigurement de l'objet aimé. Dorine n'a point caricaturé son maître, c'est lui-même qui apparaît une caricature à travers la stylisation de l'écriture, où toute l'affectivité d'Orgon est mécanisée dans le quadruple retour de l'alternance horlogère d'interrogation (« Et Tartuffe ? ») — exclamation (« Le pauvre homme ! »)[1]. Par là est confirmée du même coup la véracité des propos de la suivante sur Tartuffe. Bien mieux, Orgon s'empresse de leur apporter sa caution, spécialement dans la première partie de la scène 5 lorsqu'il raconte ses premières rencontres avec Tartuffe : le discours d'Orgon se retourne alors contre lui-même au fur et à mesure qu'il est prononcé, le spectateur identifié à Cléante comprenant le contraire de ce qu'on veut lui faire entendre. Aucun récit ne démasque Tartuffe autant que le fait celui de son ami, témoin irréprochable parce qu'il témoigne contre ses intentions. Au plaisir de savoir s'ajoute pour l'auditeur le plaisir d'en savoir davantage que celui qui parle, de saisir mieux que lui-même le sens de ses paroles — bref, de se découvrir clairvoyant en écoutant un aveugle.

2 / Le couple Mariane-Valère (I, 5-II, 4)

A ce point, l'exposition est achevée. Tous les personnages importants ont été vus et écoutés, sauf Tartuffe qui ne

1. Sur cette scène, V. Bergson, *Le Rire* (Paris, Alcan, 1900), p. 74-75, et G. Conesa, *op. cit.*, p. 239-240.

laisse pas d'être aussi transparent que les autres. Le rapport des forces est clair : il met en balance un petit nombre qui a la puissance et un plus grand qui a la lucidité, la qualité de chef de famille équilibrant en Orgon la quantité des anti-Tartuffe d'abord victorieux sur la scène. Ce rapport de forces, établi à l'occasion d'un enjeu étalé dans le temps — quel mode de vie pour la famille : austère et réformé ou brillant et mondain ? —, doit être mobilisé sur un enjeu de crise : le tournant de l'exposition à l'action se fait par une transition fort perceptible (« Laissons-là ce discours », v. 410) au cours de la scène 5 de l'acte I, lorsque Cléante, après avoir inutilement disserté sur la différence entre vrais et faux dévots, soulève la question du mariage de Valère avec la fille de la maison.

L'unité et l'utilité de cette séquence souvent considérée comme un hors-d'œuvre sont pourtant aisées à saisir. Ses limites se marquent nettement *a parte ante* par une fausse sortie d'Orgon (au milieu du vers 409) que retient Cléante avec un nouveau sujet de préoccupation — le mariage —, et *a parte post* par la coupure de l'entracte après lequel Tartuffe accaparera l'attention — un Tartuffe bien davantage intéressé par la belle-mère que par la fille. A l'intérieur de la séquence en revanche, la coupure entre l'acte I et l'acte II ne correspond à aucun changement de direction de l'action, puisqu'elle intervient dans le cours d'une série de dialogues conflictuels (Orgon-Cléante d'une part, Orgon-Mariane puis Orgon-Dorine de l'autre) ayant en commun le personnage-pivot et le thème. C'est l'exemple type de ce que G. Conesa appelle « une dramaturgie du continu, qui favorise l'adhésion du public à la fiction théâtrale »[1]. Mais cette même exigence de continuité ne serait pas respectée si la séquence formait un bloc autonome à l'intérieur de la pièce. Or la question du mariage de Valère et Mariane constitue le moteur de l'intri-

1. *Op. cit.*, p. 201.

gue : c'est sur ce motif, traditionnellement au centre du genre comique, qu'éclate l'antagonisme latent depuis des mois entre les deux camps présentés dans la séquence d'exposition. L'affrontement est prévisible dès la troisième scène de l'acte I, lorsque Damis exprime ses craintes à Cléante (v. 217 *sq.*) ; il se poursuit au-delà du second acte, puisque les deux entretiens de Tartuffe et d'Elmire ont pour fin d'empêcher l'imposteur d'épouser Mariane ; il débouche comme convenu sur l'heureuse perspective de l'union souhaitée, Orgon terminant la pièce par un éloge de la sincérité de Valère, évidemment opposée à l'hypocrisie du fiancé parasitaire.

La séquence n'est pas non plus étrangère à l'histoire du couple Orgon-Tartuffe que la comédie a pour tâche de briser. C'est Tartuffe très probablement qui a pris l'initiative de décrier auprès d'Orgon le précédent projet de mariage (cf. v. 218), et Orgon a trouvé dans le nouveau projet à demi suggéré le moyen de faire non le bonheur de sa fille, mais le sien propre en unissant Tartuffe à sa famille. Après le débat général sur la distinction entre vraie et fausse dévotion, au début de la scène 5 de l'acte I, une situation précise et concrète est donnée pour mettre en évidence jusqu'où va l'aveuglement d'Orgon. La menace de désagrégation qui pèse sur le couple Valère-Mariane mesure l'intensité de la passion liant Orgon à Tartuffe, dont le nouveau mariage serait comme la consécration substitutive : ne voit-on pas le père énoncer à la place de sa fille la déclaration d'amour qu'il souhaite entendre d'elle au sujet de Tartuffe (v. 441 *sq.* ; cf. v. 595-596) ? En lui donnant sa fille, Orgon épouse Tartuffe par procuration. Le malheur de Mariane semble donc d'autant moins remédiable que son amour ne se heurte pas seulement en Orgon à l'exercice tyrannique de la *patria potestas,* mais à un autre amour (v. 185-186, 189-190, 195) prêt à sacrifier tout ce qui pourrait lui faire obstacle. L'intrigue traditionnelle, reposant sur l'amour des jeunes gens entravé par un père, rejoint ici son symétrique : l'amour du père traversé par celui des jeunes gens. Or ces derniers n'ont aucune chance de vaincre à la fois une autorité plus forte que la leur et une passion qui n'est pas moins intense. La solution ne peut venir que de l'objet même de cette passion, s'il la rend impossible. On y viendra au quatrième acte, mais pour le présent Mariane a de bonnes raisons pour céder au « désespoir » (v. 676).

Comment Molière réussit-il à maintenir dans l'orbe de la comédie une situation qui, sur le plan des caractères, est sans issue ? En ridiculisant l'obstacle, en disqualifiant chez Mariane l'attitude tragique, en anéantissant de façon magique la difficulté. Dans ses trois dialogues, le père despotique ne cesse de prêter à sourire, et même à rire. Face à Cléante, son comique participe simultanément de celui du Jésuite des *Provinciales* — toujours prêt à éluder les questions les plus claires par des contorsions qui ne trompent personne (le « selon » du vers 418 n'est-elle pas la meilleure traduction de *distinguo* ?) —, et de celui d'Alceste brusquement gêné d'avoir à mettre en pratique ses plus fermes résolutions (« Je ne dis pas cela », répondent Orgon et le misanthrope). L'hésitation, les circonlocutions minent d'avance l'empire d'une volonté qui bientôt s'affirmera absolue (cf. v. 589). Avec sa fille, Orgon est doublement ridicule en ce qu'il n'imagine pas un instant qu'elle ne soit comme lui séduite par Tartuffe et en ce que sa volonté solennellement signifiée se voit sans effet sur la personne du monde la plus docile et qui, un instant auparavant, se disait disposée à répéter tout ce que son père voudrait. L'autorité du maître enfin est mise en échec par une suivante qui, en le réduisant à son essence (ὀργή la colère), fait la preuve qu'il ne possède même pas la maîtrise de soi. Ses paroles, comme ses soufflets, ne remuent que du vent. Ses ordres martelés sont malgré lui orchestrés en « chansons » (v. 468, 796) comme ses gestes de rage sont pris dans l'harmonie d'un ballet. L'euphorie l'emporte où le seul désespoir devrait trouver place. Il faut achever cependant de l'exorciser en Mariane, qui ose agiter en comédie la tragique menace du suicide : « je sais de mes maux l'infaillible remède » (v. 678). La mort elle-même est ridiculisée alors comme une facilité (« Vous n'avez qu'à mourir pour sortir d'embarras », v. 616), au sens littéraire aussi où Molière-Dorante soutenait dans *La Critique de l'Ecole des femmes* qu'il est plus facile d'écrire une tragédie qu'une comédie. Et lorsque la tragédie, par la bouche de Mariane, vient avouer sa défaite — « *C'en est fait,* je me rends » (v. 653) —, la comédie en Dorine s'offre le luxe de la moquer jusque dans son humiliation : Mariane devra épouser son singe, c'est-à-dire que la tragédie, pour avoir souillé la dignité comique par l'évocation de la mort de l'héroïne, sera condamnée à faire mourir *de rire* tous les spectateurs de sa grotesque survie. L'obstacle, enfin, qu'a posé le père est magiquement anéanti. D'extérieur, il est rendu intérieur et de là annulé. Telle est la fonction du dépit amoureux (sc. 4) : l'amour n'y est plus empêché — ce sera la formule du théâtre de Marivaux — que par soi. D'avance (v. 604) il est donné comme vainqueur, et la parfaite symétrie des séparations trace déjà dans l'espace la courbe de la réconciliation. La conscience qu'ont les personnages de participer à une scène de « dépit » (Valère, v. 758) en fait décidément un jeu : la victoire sur ce leurre est, magiquement, la victoire sur le danger dont il est la représentation inoffensive. Paradoxe d'une fin de séquence où, objectivement, rien n'a été fait contre la menace réelle et où, pourtant, l'euphorie règne comme si elle était déjà dissipée.

3 / Le couple Tartuffe-Elmire (III, 1-IV, 7)

Contrairement à ce qui est souvent avancé, la fin de la deuxième séquence — coïncidant avec la fin de l'acte — n'offre pas que de fausses pistes à l'action. Si les conseils de Dorine ne sont guère suivis d'effet que dans d'autres comédies, comme *Le Médecin malgré lui* ou *L'Amour médecin,* ses résolutions dernières (« Nous allons réveiller les efforts de son frère, / Et dans notre parti jeter la belle-mère », v. 813-814) correspondent aux premières démarches effectuées à l'acte suivant. Damis réagit violemment, comme il était prévisible, à un projet de mariage qui, en annulant le précédent, annule aussi le sien (Damis soupire pour la sœur de Valère) ; d'autre part Elmire, sachant que le principe de la volonté d'Orgon n'est pas en Orgon, décide de s'adresser à celui qui en est le premier moteur afin d'obtenir l'abandon du nouveau dessein matrimonial. Lié donc à l'intrigue conventionnellement reconnue comme principale, cet entretien va cependant introduire un péril supplémentaire que seule sa répétition permettra de conjurer : les deux entrevues représentent aux frontières de la séquence ses deux sommets jumeaux, l'entre-deux étant occupé par les conséquences imprévues de la première rencontre que corrige aux trois quarts la seconde.

C'est grâce à Elmire qu'enfin on pourra prendre la mesure de Tartuffe. Pourquoi ce retardement exceptionnel dans l'exhibition du personnage qui donne son nom à la pièce ? Pour le faire désirer davantage, certes, car l'on sait depuis *Polyeucte* que « le désir s'accroît quand l'effet se recule ». Pour donner toute son envergure dans l'imagination du spectateur à ce maléfique *deus absconditus* qui fait peser sur le destin d'une famille la transcendance de son absence omnipotente (et, corrélativement, plus la personnalité de Tartuffe prenait d'ampleur, plus il importait d'attendre que l'action fût engagée pour faire paraître ce caractère dans une situation digne de sa force). Enfin Molière lui-même, dans sa Préface, affirme que s'il a employé « deux actes entiers à préparer la venue de [*son*] scélérat », c'est « pour bien distinguer le personnage de l'hypocrite d'avec celui du vrai dévot » (p. 884/22). Déclaration édifiante sans doute, mais qui recoupe exactement la réalité dramatique : dès que Tartuffe se montre, toute la salle a pour lui les yeux de Dorine.

Comme l'écrit J. Guicharnaud, avec l'arrivée du héros moliéresque « nous ne serons pas surpris, mais satisfaits »[1]. L'ostentation de la piété chez Tartuffe nous est déjà connue par la description d'Orgon à la scène 5 de l'acte I, ses collectes à prétextes généreux aussi (v. 201), sa pudibonderie se tire de la rage de Laurent contre les rubans et les mouchoirs de gorge (v. 205-210) et son inclination pour Elmire est signalée à plusieurs reprises avant l'entrevue (v. 84, 835-837, 875-876). Si surprise il y a devant l'attitude de Tartuffe, elle est moins causée par ses réactions que par leur intensité, et elle vaut pour le personnage autant que pour le spectateur. Tartuffe, comblé dans son attente et manipulé par son désir, perd trois fois au moins la cautèle de son maintien professionnel : quand il laisse deviner sa joie à l'annonce de la proche arrivée d'Elmire (v. 875), abandonnant sans une pensée les malheureux prisonniers auxquels il était censé distribuer des aumônes (ce n'est que partie remise, car il les rejoindra dans quelques heures non comme visiteur, mais comme compagnon) ; quand « il *s'oublie* », comme note la *Lettre sur l'Imposteur* (p. 1159), à poursuivre ses palpations sur les atours de son interlocutrice, s'approchant d'un sein qu'il voulait couvrir chez Dorine et dont il affirmait à la scène précédente que « cela fait venir de coupables pensées » (v. 862) ; quand enfin il interrompt Elmire pour s'écrier avec transport : « Ah ! pour être dévot je n'en suis pas moins homme » (v. 966). Le discours dans son flux même, qui a pourtant pour objet de reconstituer une image logiquement et moralement acceptable du locuteur par le recours à la double tradition philosophique du platonisme (les beautés terrestres peuvent être aimées comme reflets de l'essentielle Beauté) et littéraire de la préciosité (la femme comme inaccessible déesse), dévoile de plus en plus malgré le vocabulaire de la dévotion un Tartuffe bouillant de sensualité : alors que « l'ajustement » (cf. v. 951) paraissait acquis entre passion et piété, la première finit par ravager la seconde (v. 976-978), ne lui laissant que

1. *Molière, une aventure théâtrale,* p. 81 (éd. 1984).

les défroques d'un tissu métaphorique risiblement usé. L'amour mystique devient brutale revendication de « plaisir » (v. 1000). Face à quoi, il ne faut s'imaginer Elmire tentée : la description bestiale qu'a donnée de Tartuffe le second acte — en particulier la dénomination de « beau museau » au vers 560 (Tartuffe et le chien ont en commun la truffe) — et que confirme indirectement l'intéressé par sa jalousie des jeunes blondins de la cour, la garantit plus encore que les bienséances de toute inclination dévoyée. D'où une relative froideur qui va permettre deux gains sur le plan dramatique : dans l'immédiat, Elmire retourne le piège où elle est tombée en piège pour l'interlocuteur — Tartuffe s'est démasqué sans rien obtenir, mais il devra de plus favoriser les intérêts de Valère son rival sous peine d'être dénoncé ; pour l'avenir, la modération d'Elmire, inébranlable au demeurant sur les principes, ménage les chances d'une seconde entrevue.

La violente interruption de la scène détruit le premier gain, mais non le second. Damis jaillissant du petit cabinet dont son père avait, un acte auparavant, énoncé la destination, fait échouer le chantage où Elmire avait emprisonné Tartuffe (et avec lui la pièce) et enclenche une série de catastrophes dont il sera la première victime. Mais, à terme, la victoire de la fin de la séquence est rendue possible : pour la première fois, Tartuffe a soulevé le masque, et il suffira qu'il renouvelle ce geste devant le maître de maison pour s'anéantir à ses yeux ; Elmire étant aimée sans être amoureuse installe en un sens l'hypocrite dans sa dépendance et pourra reprendre l'initiative avec toute certitude de l'emporter (acte IV, fin de la sc. 3) ; surtout, son différend avec Damis — suivi d'une sortie de scène discrète et rapide qui lui évite d'accuser Tartuffe en face — va se révéler un argument dont elle se prévaudra avec insistance lors du second entretien : tant l'attitude d'Elmire au cours et à la suite de la première scène de séduction est préadaptée par le dramaturge à l'exigence, qui lui est évidemment déjà présente, d'une entrevue symétrique.

Par cette répétition, où les mêmes interlocuteurs seront écoutés non plus par le brutal et brouillon Damis mais par le chef de famille, pourront être presque totalement réparées les conséquences fâcheuses de la rencontre initiale. Celle-ci avait pour but d'empêcher le mariage de Tartuffe avec Mariane : elle le précipite, entraînant une scène de désespoir (IV, 3) où Molière, en une sorte de parodie anticipée d'*Iphigénie,* prête à Mariane *l'intention* virutellement tragique d'« accuser les destins et de dire des injures aux Dieux »[1]. Damis pensait saisir une occasion providentielle de désabuser son père : c'est lui qu'on voit chassé par l'habileté d'un Tartuffe qui, en s'accusant de toutes les turpitudes pour noyer celle qu'on lui reproche précisément, arrive à faire prendre à Orgon la vérité littérale de ses paroles pour hyperboles de trop scrupuleux pénitent. Elmire devait être à jamais délivrée des assauts de Tartuffe : elle subira désormais sa présence « à toute heure » (v. 1174). Tartuffe ne devait plus être gendre : il sera, par la donation, le nouveau fils. Ces défaites catastrophiques sont mitigées ou conjurées par les gestes du rituel comique (la recherche du bâton farcesque, le lazzi traditionnel en *commedia dell'arte* des deux personnages à genoux dans les bras l'un de l'autre), puis réellement renversées par le processus dramatique. Non point grâce à Cléante, qui échoue avec Tartuffe (IV, 1) comme il avait échoué avec Orgon (I, 5) — par où il tient du personnage comique sans cesser pour autant d'incarner la Norme —, mais grâce à la ruse d'Elmire qui retourne contre Tartuffe ses propres armes.

Scène deux fois hardie, parce qu'elle montre la séduction tentée sur une femme mariée et parce que cette dernière en prend l'initiative. Scène ambiguë, non pas du tout au point de vue moral, où la responsabilité d'Elmire apparaît tota-

1. Tel est, selon *La Critique de l'Ecole des femmes* (sc. 6), le contenu du texte tragique ; c'est bien aussi celui que Mariane *menace* de proférer (v. 1283-1286).

lement dégagée — le dramaturge a pris la précaution de transférer toute culpabilité sur Tartuffe (v. 1520) et sur Orgon (v. 1380, 1552) —, mais au point de vue psychologique : Elmire s'avance avec la caution arrachée au législateur-maître dans l'espace de la transgression ; la parole interdite pourra être proférée et même sollicitée de l'autre avec l'assentiment et en présence de celui qui en est par institution le censeur, à savoir le mari. Ne saurait-on reconnaître dans cette ambivalence la transposition inconsciente (et donc innocente) du compromis recherché (et donc coupable) par les casuistes entre le dévoir et sa négation, notamment dans la direction d'intention ? Elmire abaisse physiquement son époux, en le faisant à la lettre « passer sous la table », mais c'est pour lui redonner sa primauté de chef, de sorte qu'elle lui rend sa dignité par le geste même qui la ravale. Elle peut irréprochablement (« puisque j'y suis réduite », v. 1373 — et réduite par qui, sinon par son mari ?) offenser Orgon qui l'avait offensée (« c'est trop condamner ma bouche d'imposture », v. 1350) et le faire insulter par son aimé Tartuffe — car la *Lettre sur l'Imposteur* souligne bien que c'est de sa propre initiative qu'avec les meilleures raisons du monde Elmire met la conversation sur son époux : elle a compris que rien ne fera sortir Orgon qu'une offense personnellement dirigée contre lui par la personne qu'il estime le plus ici-bas. Orgon, comme le prouve sa réapparition instantanée, est en effet moins sensible au danger couru par sa femme qu'au mépris, au *non-amour* que Tartuffe manifeste à son endroit. Orgon aime Tartuffe plus que sa femme (v. 186), et Tartuffe aime sa femme sans l'aimer lui : Orgon à ce point se découvre trahi, mais c'est Elmire qui est sa rivale auprès de Tartuffe, et non Tartuffe son rival auprès d'elle. L'expulsion de Tartuffe, qui retrouve tout de suite son sang-froid — comme après l'interruption du premier entretien — et tente sans doute d'avancer qu'il voulait mettre à l'épreuve la vertu d'Elmire, répète celle de Damis et la répare, mais elle est elle-même irréparable : ce n'est point ici comme à la fin du second acte un dépit amoureux, ce luxe que s'offre l'amour-propre quand il est sûr de l'amour, mais la séparation définitive prononcée par l'amant qui se sait sans remède non aimé de retour. Avec Tartuffe confondu sont annulées trois des quatre conséquences néfastes de la première scène de séduction : le péril sur Elmire, la conclusion imminente du mariage (à jamais impossible désormais, ce qui neutralise la menace centrale de la deuxième séquence) et la rupture avec Damis. Il en reste une toutefois, appelée à se déployer au cours de la dernière séquence : la donation — car si la bête a été chassée, elle n'a pas été mise hors état de nuire.

4 / Le péril extérieur et sa résolution (IV, 8-fin)

L'expulsion de l'intrus aurait pu, aurait dû ramener la paix dans la maison : elle y installe la panique en la personne du père (« Où voulez-vous courir ? », v. 1573 ; « ne courez point si vite », v. 1861), l'angoisse et une rage impuissante chez les autres. Sans que soit accordé le moindre temps de soulagement, un double péril extérieur relaie les menaces de dislocation interne, au point que les personnages en arrivent à regretter le coup de force contre Tartuffe (v. 1600, 1713-1714). Au moins il était sous la main, épié et désormais transparent à tous ; le voilà maintenant lâché dans la nature, furieux d'humiliation et de frustration, bien décidé à utiliser les armes qui lui ont été données contre toute la famille. La dernière séquence achève de réaliser la description qu'au premier acte Cléante donnait des faux dévots : ils « sont prompts, vindicatifs, sans foi, pleins d'artifices » (v. 374). Les deux termes finals avaient été illustrés amplement, ils continueront de l'être par l'ingratitude de Tartuffe et ses brusques scrupules politiques ; les deux premiers reçoivent ici leur traduction dramatique.

Trois temps peuvent être distingués : l'agitation stérile

devant les menaces suspendues ; le premier coup frappé par Tartuffe (la donation) ; le second (la cassette), d'où sa perte s'ensuit. Apparemment, on est loin d'abord de la comédie. La violence de la victoire se retourne contre les vainqueurs. Le prestige que son geste d'autorité aurait pu conquérir à Orgon lui est volé par Tartuffe avec la cassette : ce n'est pas un acte de sagesse, mais d'« imprudence » (v. 1599) ; ce n'est même pas un signe de maîtrise, mais de démission (« De mes ressentiments *je n'ai pas été maître* », v. 1710). Le désespoir d'Orgon ne provient pas seulement d'une situation sans issue, mais de la conscience de l'avoir provoquée. La donation, avant elle le transfert de la cassette, après elle l'expulsion de Tartuffe, sont des actes de sa liberté ; Orgon est cause de son malheur, de celui de son ami Argas (v. 1583), de celui de toute sa famille. En retournant contre Tartuffe les armes de la ruse, Elmire a permis — par la faute de son mari qui ne lui avait rien dit de la donation ni de la cassette — que fussent retournées contre Orgon les armes de la loi. Aucune solution ne se fait jour non plus autour d'Orgon, puisque les personnages raisonnables et forts parlent à l'irréel du passé, pour exprimer leurs reproches (Cléante : « vous deviez », v. 1600) ou leurs regrets (Elmire : « Si j'avais su », v. 1713). Cependant, la menace du tragique n'est acceptable en comédie qu'ordonnée à sa disparition : celle-ci interviendra au proche dénouement, d'autant plus heureux qu'il délivrera de plus d'inquiétudes, mais elle est promise déjà par les indices d'une parodie. Le renversement de situation, en effet, évoqué par Orgon (« Me chasser de mes biens, où je l'ai transféré / Et me réduire au point d'où je l'ai retiré », v. 1655-1656), quoique pathétique en la circonstance, n'en constitue pas moins un schéma formellement comique — toutes les farces sont là qui le rappellent —, et c'est pour insinuer cette virtualité sur scène que d'autres renversements, comiques ou simplement plaisants, viennent doubler le premier : Orgon avait accusé au début de la pièce Cléante de sentir le libertinage

(v. 314), c'est sur lui-même maintenant et sa haine de « tous les gens de bien » que Cléante peut faire retomber le compliment (v. 1621) ; Dorine ironiquement vient substituer à l'amertume geignarde du maître son attendrissement niais du premier acte (« Le pauvre homme ! », v. 1657) ; enfin Madame Pernelle oppose aux évidences d'Orgon le même aveuglement qu'il n'avait cessé d'opposer à celles de sa famille (« Juste retour, Monsieur, des choses d'ici-bas : / Vous ne vouliez point croire, et l'on ne vous croit pas », v. 1695-1696). L'affrontement chamailleur de Pernelle et d'Orgon, où la mère traite son fils en petit garçon et le fils sa mère en enfant têtu, détourne d'une réalité trop pressante vers des « bagatelles pures » (Cléante, v. 1697) qui ont la gratuité nécessaire du dépit amoureux à la fin du second acte.

Vite, en effet, le « réel » reprend ses droits avec l'entrée en scène de Monsieur Loyal, ambassadeur des puissances du Dehors. Entrée providentielle, qui vient apparemment remplir le souhait exprimé par Cléante d'un accommodement ; mais ce leurre dramatique double son déploiement de sa dénonciation : avant même qu'il ne se découvre, Loyal s'identifie par des marques — la salutation « ma chère sœur », la douceur appuyée, l'invocation (au demeurant peu charitable) du ciel — déjà relevées chez Tartuffe. Au vrai, Loyal représente un avatar de Tartuffe, dont le nom est Légion (« les gens comme nous », au vers 995). Sa fonction officielle laisse pressentir le passage en Tartuffe de l'hypocrisie religieuse à l'hypocrisie politique : au nom du ciel celui-ci commettait des actes que le ciel réprouve, il vient sous sa forme anticipée de Loyal commettre l'injustice au nom de la loi — avec des grâces plus douloureuses qu'une exécution brutale. Cette violence doucereuse, qui doit bientôt passer aux actes, trouve sa traduction et sa compensation comiques dans la franche violence du bâton (v. 1768 et 1804), mais qui ne s'exerce pas. C'est la parade magique des paroles qui seule peut être opposée à la perspective prochaine des meubles entassés sur la chaussée, dans un désordre étalant aux regards que nous savons malveillants des voisins la dislocation, au sens propre, de la communauté familiale. Demain, l'autorité n'aura plus de lieu, l'ordre patriarcal sera désagrégé en même temps que le « système des objets » par quoi il maîtrisait l'espace. Pour l'aujourd'hui toutefois, l'unité du clan, menacé comme jamais, se reconstitue contre Tartuffe comme elle n'avait jamais existé peut-être avant Tartuffe : ambiguïté propre à ce moment de la « mort rituelle », ainsi que l'appelle la critique archétypale, où l'angoisse tend vers son maximum d'intensité avant la délivrance définitive mais où sont enfouies aussi les arrhes de la résurrection.

Cette ambiguïté se retrouve dans l'arrivée de Valère, qui à la fois complète la communauté et vient en presser la séparation. Le péril touche alors à son paroxysme : la cassette remise par Tartuffe au roi confirme et aggrave les effets de la donation. En gardant les papiers secrets d'un criminel d'Etat, Orgon en effet s'est rendu son complice et encourt par là les mêmes peines que lui, à savoir la perte de la liberté ou de la vie et la confiscation des biens (reversés au dénonciateur). Ce ne sont donc pas seulement ses folies qui se retournent contre Orgon, mais sa fidélité même à l'ami dans le malheur ; pire encore que le sort de Tartuffe avant qu'il ne rencontre en lui un bienfaiteur, Orgon, dont on sait le loyalisme monarchique (v. 181-182), risque de connaître la fin des rebelles et des proscrits. Tel est le rôle involontairement christique d'Orgon qu'il prend sur lui les disgrâces de tous ceux auxquels il porte assistance. La fuite même se révèle vaine, et le coup est porté aussitôt qu'annoncé. La victoire de Tartuffe ne serait pas complète s'il ne venait en personne humilier les auteurs de sa récente humiliation. Ici l'hypocrite se fait imposteur en ce qu'il ne se couvre pas tant d'un masque religieux — celui-ci n'est point abandonné toutefois : « Et je suis pour le Ciel appris à tout souffrir » (v. 1868) — que d'un masque politique. Tartuffe a opéré un transfert de transcendance, de Dieu au roi : peu lui importe l'instance dont il se réclame pourvu qu'il puisse en son nom exercer répression et spoliation. Mais le triomphe sera de courte durée : mieux, la défaite de Tartuffe est consommée déjà au moment où il entre en scène, puisque le prince l'a percé à jour et que l'Exempt a reçu l'ordre de l'arrêter. Rien ne donnera davantage le sentiment de la transcendance royale que la conscience prise simultanément par les personnages et les spectateurs, au moment de l'arrestation, que tout ce qui arrive était préordonné.

C'est cette manifestation d'une Providence *ex machina* qui a fait longtemps critiquer le dénouement de *Tartuffe*. En réalité, il remplit exactement la fonction qui est la sienne de combler le vœu de bonheur commun aux spectateurs et aux personnages auxquels les spectateurs s'identifient. Une comédie qui s'achève dans l'euphorie a atteint son but — quels que soient, à la limite, les moyens employés ; et cette euphorie sera d'autant plus sensible qu'elle succédera brusquement à une situation plus angoissante : l'imprévu est ici une qualité que le texte ne se prive pas d'exploiter (v. 1941 : « quand moins on y pense » ; v. 1946 : « Qui l'aurait osé dire ? »). Par grâce, l'imprévu du dénouement de *Tartuffe* n'est même pas invraisemblable : il est possible, de par la volonté explicite de Louis XIV, à n'importe lequel de ses sujets d'avoir accès auprès du roi ; il est normal que le souverain s'occupe directement d'une affaire *d'Etat* (v. 1838) impliquant un grand bourgeois parisien, peut-être connu de lui, dans un crime de lèse-majesté (cf. v. 1839-1840). Enfin, le dénouement s'inscrit parfaitement dans l'idéologie politique de l'époque, qui ne cesse d'associer les deux fonctions d'autorité paternelle et royale : le père est roi dans sa famille (cf. l'expression « père absolu » au vers 589), le roi est père de son peuple ; l'aveuglement d'Orgon trouve ainsi sa naturelle compensation dans la clairvoyance du prince.

Bien loin que l'irruption lumineuse du politique rende le

dénouement artificiel, il invite à considérer rétrospectivement la portée politique de toute la pièce. Molière lui-même la soulignait dans sa Préface, et il ne semble pas qu'on y ait pris garde : « Si l'emploi de la comédie est de corriger les vices des hommes, je ne vois pas par quelle raison il y en aura de privilégiés. *Celui-ci* [l'hypocrisie] *est, dans l'Etat, d'une conséquence bien plus dangereuse que tous les autres* » (p. 885/23). En quoi l'hypocrisie représente-t-elle un danger particulièrement grave pour l'Etat ? En ce que les faux dévots forment une cabale d'intrigants ? Sans doute. En ce qu'elle sape la religion dont fait profession l'Etat ? Voilà qui est déjà plus profond. Il nous paraît que le ravage de l'hypocrisie va plus loin encore, car elle ne détruit pas seulement la foi qui soutient la monarchie très chrétienne, mais la bonne foi sur quoi repose toute société humaine. C'est en effet un lieu commun chez les théoriciens politiques français, de Mathieu Coignet au XVIe siècle à Bossuet pour le moins, que le lien social élémentaire est constitué par la *fides*. « La bonne foi est le plus ferme lien de la société humaine », écrit le grand Arnauld[1], parce que, elle disparue, toute force serait ôtée aux contrats et promesses qui obligent réciproquement les particuliers et les collectivités d'une même nation, depuis l'engagement des époux au sein de la cellule familiale jusqu'à l'alliance solennellement jurée le jour du sacre entre le roi et son peuple. La condamnation politique de Tartuffe le « perfide » (v. 1043, 1101, 1649) — qui s'attaque à la foi conjugale liant Elmire à Orgon, qui pousse ce dernier à « manquer à [*sa*] foi » (v. 415) engagée avec Valère et lui apprend « à faire des serments contre la vérité » (v. 1591) — est lisible par avance dans ces lignes d'un illustre magistrat du XVIe siècle : « Notre intelligence se conduisant par la seule voie de la parole, celui qui la fausse trahit la société publique. C'est le

1. *Apologie pour les catholiques,* Ire part., chap. XXII — *Œuvres,* t. XIV. Cf. Bossuet, *Politique tirée des propres paroles de l'Ecriture sainte,* liv. VII, art. 2, prop. 3, et art. 5, prop. 17.

seul outil par le moyen duquel se communiquent nos volontés et nos pensées, c'est le truchement de notre âme : s'il nous faut, nous ne nous tenons plus, nous ne nous entreconnaissons plus. S'il nous trompe, il rompt tout notre commerce et dissout toutes les liaisons de notre police »[1]. L'hypocrisie aurait beau se borner aux confidences murmurées d'un directeur et de son pénitent, en corrompant la *fides* elle atteint dans la sphère privée ce qui engage l'intérêt public.

II. HYPOCRISIE

De la première scène, où on la voit semer la division à l'intérieur d'une famille, à la dernière, où le souverain doit intervenir pour mettre un terme à ses accroissements, l'hypocrisie ne cesse d'étendre ses ambitions destructrices. Elle sollicite sournoisement d'abord les faveurs que lui prodigue la générosité abusée ; puis elle s'enhardit à circonvenir ce qu'on ne lui donne pas ; enfin elle requiert la force publique pour arracher ce qu'on lui refuse. Les bienfaits ne lui suffisent pas si elle ne dévore aussi le bienfaiteur : Tartuffe étant le « tout » d'Orgon (v. 195), il ne sera lui-même qu'en ne laissant rien d'Orgon. Ce trajet de la voracité appelait une description analytique ; mais en tant qu'elle donne à la pièce son unité thématique, l'hypocrisie exige également une interprétation synthétique.

1. Montaigne, *Essais,* liv. II, chap. XVIII, éd. Villey-Saulnier (Paris, PUF, 1965), p. 666-667. Cf. A. Compagnon, Montaigne ou la parole donnée, *Bull. Soc. Amis de Montaigne,* VIIe série, n° 1-2, juill.-déc. 1985, p. 9-19.

Hypocrisie et théâtralité

Avant d'être un fourbe, l'hypocrite est un acteur. Tel est en effet le sens du grec ὑποκριτής (de ὑποκρίνομαι, répondre) : celui qui donne la réplique dans une pièce de théâtre. Aristophane dans *Les Guêpes,* Platon dans *La République* et le *Charmide* emploient le terme dans cette acception, un siècle et plus avant que les Septante ne lui fassent désigner l'hypocrite dans leur traduction de la Bible (Job, XXXIV, 30 et XXXVI, 13). Saint Augustin souligne, dans son *De sermone Domini in monte,* ce que les deux significations ont en commun pour ne former qu'un seul vocable : « les hypocrites sont des simulateurs en ce qu'ils parlent le langage d'un autre, comme cela se passe au théâtre. En effet, celui qui joue le rôle d'Agamemnon dans une tragédie, ou celui de tout autre personnage de l'histoire ou de la fable, n'est pas en vérité ce personnage ; mais il fait semblant de l'être et on l'appelle comédien *(hypocrita dicitur).* De la même façon dans l'Eglise, et dans la vie en général, quiconque veut se faire passer pour ce qu'il n'est pas, est un hypocrite *(hypocrita est)* »[1]. Ainsi l'acteur est un hypocrite. Dans le cas de Tartuffe, le personnage aussi est un hypocrite. Moralement, la différence saute aux yeux : Tartuffe veut tromper en faisant passer sa fiction pour la réalité ; l'acteur, lui, ne trompe personne puisque sa fiction est connue pour telle et n'est prise pour la réalité qu'en vertu d'une convention passée implicitement avec le spectateur. *Non omne quod fingimus mendacium est*[2]. Sur le plan scénique, la situation est plus subtile, car l'acteur qui joue Tartuffe joue un autre acteur. Les acteurs n'ont qu'un public, mais Tartuffe en a deux : les autres personnages et le public. Il est vrai qu'aux yeux des autres personnages il ne passe

1. Liv. II, chap. 2 (notre trad.) ; *Patrologie latine,* t. 34, col. 1271.
2. « Toute fiction n'est pas mensonge » (saint Augustin, *Quaestionum Evangeliorum,* l. II, q. 51 ; *Patrologie,* t. 35, col. 1362).

pas toujours pour un acteur — Madame Pernelle et Orgon, en effet, croient qu'il est celui qu'il fait semblant d'être —, cependant il joue la comédie devant eux et le public ne cesse d'en être conscient. Aussi, chaque fois qu'il paraît sur la scène, Tartuffe installe-t-il un théâtre dans le théâtre. Il suscite même le théâtre autour de lui puisque, pour tromper le trompeur, Elmire accepte de devenir actrice à son tour (acte IV, sc. 5) et de jouer la comédie de l'amour devant Orgon dans le rôle du spectateur. Et le théâtre dans le théâtre ne s'interrompt pas quand Tartuffe est démasqué : d'être reconnu comme acteur ne l'empêche nullement de continuer son rôle. Sur le chemin de la prison il devient muet, mais jamais on ne le verra enlever son masque.

Comment donc savons-nous qu'il joue ? La question est capitale, car elle pose le problème technique de la possibilité de représenter l'hypocrisie au théâtre : dans ce royaume des apparences, l'hypocrite n'est qu'un mensonge au milieu du mensonge de tous les autres personnages même sincères. De là, dans le cas de *Tartuffe,* la querelle d'ordre éthique et religieux soulevée contre Molière : comment prouver que Tartuffe est un faux dévot et que les vrais ne sont pas joués en lui, puisque les apparences sont les mêmes du premier et des seconds, et que le théâtre ne roule que sur l'apparence ?

Jamais Tartuffe par un aparté, un monologue ou une conversation avec son complice Laurent, ne dit qu'il joue. Mais les autres personnages le disent pour lui : « Tout son fait, croyez-moi, n'est rien qu'hypocrisie », annonce Dorine dès la première scène (v. 70) en une affirmation d'autant plus croyable qu'elle émane d'un personnage dont la sincérité est cautionnée indirectement par les insultes de son antagoniste Pernelle (« Un peu trop forte en gueule et fort impertinente », v. 14). Et cette hypocrisie très vite est présentée comme un art autant qu'un artifice (« Par cent dehors fardés a l'art de l'éblouir », I, 2, v. 200). De quel art s'agit-il ? Les métaphores utilisées par Cléante dans sa description des faux dévots

(I, 5, v. 359-368) suggèrent qu'il s'agit de l'art du comédien. Comme le fait judicieusement remarquer S. Relyea[1], les « francs charlatans » dont il est question au vers 361 ressemblent fort à des acteurs professionnels. Ils sont maquillés ou masqués (« le dehors plâtré d'un zèle spécieux »), se choisissent une scène (« ces dévots de place »), inventent mimiques et postures (« trompeuse grimace », « faux clins d'yeux », « élans affectés ») et attendent une rétribution (« Font de dévotion métier et marchandise », « acheter crédit et dignités »). Avec son frère le courtisan et sa sœur la coquette, l'hypocrite est le troisième et plus dangereux représentant de l'art du « masque » (v. 334), subrepticement descendu des tréteaux pour se mêler à la société spectatrice. Il rompt ainsi le pacte théâtral qui repose sur l'aveu du mensonge et qui fait du spectateur non la victime mais le complice de son illusion. Alors qu'au théâtre le *mendacium* devient *fictio,* l'hypocrite est *fictio* devenue *mendacium.* Qu'en est-il alors de l'hypocrite de théâtre ? C'est un mensonge que dénonce une fiction. Elle le dénonce, on vient de le voir, par la bouche des autres personnages ; elle le dénonce surtout par une exhibition telle du menteur que même sans aveu il se révèle menteur — comme si le pouvoir autodénonciateur du théâtre s'exerçait avec une efficacité prioritaire sur les personnages qui, en son sein, jouent un personnage : il redouble sa dénonciation sur ceux qui redoublent sa théâtralité.

Tartuffe a beau ne jamais dire qu'il joue, il suffit qu'il soit décrit (au premier chef *par son disciple* Orgon) ou montré pour qu'éclate en lui le comédien. Et cela tout simplement parce qu'il joue mal. Il est toujours en excès ou en retrait sur son rôle. Tartuffe en fait trop à l'église quand, non content de « se mettre à deux genoux » (v. 284) là où les autres

1. *Signs, Systems and Meanings,* p. 53.

restent debout ou se bornent à une génuflexion, il multiplie les prosternations, baisant « humblement la terre à tous moments » (v. 288) et attirant « les yeux de l'assemblée entière » (v. 285) par le fracas de sa componction. Tartuffe en fait trop à sa première apparition lorsque, « apercevant Dorine » — comme le souligne la didascalie —, il s'adresse à son valet en des termes qui marquent la plus pompeuse des pénitences et la plus voyante des charités. Si « les belles actions cachées sont les plus estimables »[1], il est certain que les bonnes actions de Tartuffe perdent toute valeur d'être claironnées, à supposer qu'elles aient la moindre réalité. Dorine aussitôt juge en Tartuffe l'acteur, et le juge sévèrement : « Que d'affectation et de forfanterie » (v. 857). Ainsi Cléante repérait le comédien en dévotion à ses « élans affectés » (v. 368). En revanche, Tartuffe n'en fait pas assez dans sa première conversation avec Elmire. L'homme ici ne parvient pas à s'effacer derrière le comédien réduit aux signes les plus ténus et les moins crédibles de son rôle ; le personnage est envahi par la personne incapable de garder cette distance où s'éprouve l'art paradoxal du comédien. Le dévot en déroute ne contrôle plus ses gestes et son discours même lui échappe jusqu'au quasi-aveu qu'il n'est qu'un texte appris (« Le soin que nous prenons de notre renommée », v. 997), tant la voix du désir subvertit et submerge celle de la religion.

C'est par ce décalage entre le masque et le visage qu'à la différence de l'hypocrite parfait de La Bruyère[2] Tartuffe est un personnage comique et un personnage de théâtre. Tartuffe, malgré sa noirceur et dans sa noirceur même, est comique par la contradiction flagrante qu'il étale sans vergogne ou tente de couvrir sans succès : on rit de son humilité ostentatoire, de son austérité gloutonne et de sa dévotion paillarde (prenons au pied de la lettre le commentaire d'Elmire sur la déclaration de

1. Pascal, *Pensées,* fr. 643-159.
2. Onuphre, au chapitre « De la mode » (§ 24), dans *Les Caractères.*

Tartuffe : « Pour moi, de tels propos *je me ris* simplement », v. 1327 ; cf. v. 1033). Tartuffe est aussi, malgré l'« hypocrisie » qui lui est commune avec tous les autres comédiens, un hypocrite reconnaissable sur le théâtre parce que, au théâtre, il n'y a pas de voix pour le narrateur omniscient et que le témoignage des autres personnages est insuffisant tant que l'hypocrite ne s'est pas *montré* hypocrite à nos yeux, ce qui n'est possible que s'il n'est pas un hypocrite parfait.

Au théâtre donc, les apparences ne sont pas trompeuses car elles se dénoncent comme apparences et dénoncent même la société comme théâtre qui s'ignore : c'est au théâtre que les masques tombent. Par où l'on apprend — n'est-ce pas là la véritable « instruction » que Molière n'a cessé d'imputer au bénéfice de la comédie et qui doit valoir hors du théâtre pour que le théâtre ait vertu pédagogique ? — que l'apparence est ce qui nous fait connaître la vérité ; non point qu'elle la dise toujours, mais au moins elle dit quand elle ne la dit pas. En d'autres termes : les apparences ne nous trompent pas, c'est nous qui nous trompons à leur sujet. Credo épicurien, qui n'étonne pas chez le traducteur du *De Natura rerum* et l'ami des gassendistes, mais point nécessairement libertin : « les appréhensions des sens sont toujours vraies », écrit Pascal[1]. L'innocence des apparences, voilà paradoxalement ce que proclame *Le Tartuffe.* Ce sont elles qui dénoncent l'hypocrisie de l'éponyme, puisqu'il suffit de voir paraître son visage rougeaud et bouffi pour savoir que le prétendu ascète n'est qu'un jouisseur congestionné. Elles dénoncent aussi l'hypocrisie de Loyal, « cet homme — dit la *Lettre sur l'Imposteur* — qui a *tout l'air de ce qu'il est,* c'est-à-dire du plus raffiné fourbe de sa profession » (p. 1167). Le ridicule d'Orgon et de Pernelle vient justement de ce qu'ils ne voient pas ce que tous les autres voient. L'hypocrisie de Tartuffe est si évidente — Molière le dénomme « un véritable et *franc*

1. *Pensées,* fr. 701-9.

hypocrite »[1] — qu'on n'est pas seulement ridicule de ne pas la voir, mais coupable : Orgon et Pernelle sont les pires aveugles car ils ne *veulent* pas ouvrir les yeux ; ils ne sont pas purement les dupes de Tartuffe, ils l'utilisent pous assouvir des pulsions qui ne sont rien moins que chrétiennes. Leur erreur, empreinte de mauvaise foi, n'est pas l'effet d'une perversité, ni même d'une perversion, des apparences — elle est le résultat d'un auto-aveuglement. A-t-on remarqué que ce sont précisément les personnages disqualifiés par la comédie qui se défient de l'apparence ? « Mon Dieu ! le plus souvent l'apparence déçoit » (v. 1679), prononce la sentencieuse Pernelle ; et Orgon a été mis, se vante Tartuffe, « au point de voir tout sans rien croire » (v. 1526), c'est-à-dire littéralement de ne pas en croire ses yeux. Peut-être est-ce là que, pour Molière, gît le démoniaque de Tartuffe, dans cette entreprise pour faire révoquer en doute le témoignage des sens hors duquel — que l'on soit épicurien ou chrétien[2] — il n'est plus pour l'homme

1. Premier Placet, p. 890/30. Cléante parle de « francs charlatans » au vers 361(cf. « le franc scélérat » du *Misanthrope* : « Au travers de son masque on voit à plein le traître ; / Partout il est connu pour tout ce qu'il peut être », v. 125-126). C'est en ce sens que la *Lettre sur l'Imposteur* répond à « la grande objection qu'on a toujours faite contre cette pièce, qui est que décriant les apparences de la vertu, on rend suspects ceux qui, outre cela, en ont le fond, aussi bien que ceux qui ne l'ont pas : *comme si ces apparences étaient les mêmes dans les uns que dans les autres,* que les véritables dévots fussent capables des affectations que cette pièce reprend dans les hypocrites, *et que la vertu n'eût pas un dehors reconnaissable de même que le vice* » (p. 1158).

2. Point de vue épicurien : si l'on refusait de se fier au témoignage des sens, « la raison s'écroulerait tout entière et la vie même périrait sur-le-champ » (*ratio ruat omnis, vita quoque ipsa / Concidat extemplo,* Lucrèce, *De Natura rerum,* IV, v. 507-508) ; c'est à partir seulement de la *fides prima* (*ibid.,* v. 505) due aux sens que peut être critiquée la per-fidie d'un Tartuffe. Point de vue chrétien : « comme Dieu a voulu se servir de l'entremise des sens pour donner entrée à la foi, *fides ex auditu,* tant s'en faut que la foi détruise la certitude des sens, que ce serait au contraire détruire la foi que de vouloir révoquer en doute le rapport fidèle des sens » (Pascal, XVIIIe *Provinciale,* éd. Cognet, p. 374). On peut d'ailleurs, moyennant divers aménagements, être en même temps épicurien (au sens philosophique) et chrétien : c'est le cas de Gassendi, théologal de l'église de Digne, dont Grimarest affirme sans invraisemblance qu'il admit Molière à ses leçons de philosophie.

d'accès possible à la vérité. Aussi bien cette tentative est-elle vouée à l'échec, car c'est celle du Malin Génie : Orgon sera finalement obligé d'en croire ses yeux (« Je l'ai vu, dis-je, vu, de mes propres yeux vu, / Ce qu'on appelle vu », v. 1676-1677), et l'apparence un moment soupçonnée triomphera des faux jugements que l'aveuglement avait osé porter sur elle. L'hypocrisie n'est point une apparence trompeuse, elle est la tromperie rendue apparente — par le dramaturge, mais ultimement peut-être par cette « providence de la nature » qui, comme l'écrit l'auteur de la *Lettre sur l'Imposteur,* « a voulu que tout ce qui est méchant eût quelque degré de ridicule, pour redresser nos voies par cette apparence de défaut de raison »[1].

La tromperie généralisée

L'hypocrisie qui éclate en Tartuffe est loin d'être le seul mensonge de la pièce. Tout se passe au contraire comme si la tromperie était contagieuse, transformant ceux qu'elle trompe ou menace de tromper tour à tour en trompeurs. Son progrès se mesure à celui de la défiance, qui engendre le secret et la calomnie pour déboucher sur la feinte.

Tartuffe, le père de toute tromperie, se trahit notamment par sa crainte permanente d'être trompé. « Nos vœux sur des discours ont peine à s'assurer » (v. 1460), réplique-t-il aux avances d'Elmire : il parle en connaissance de cause. Comment celui qui ne cesse de subvertir la parole pourrait-il se fier à la parole d'autrui ? « Je puis croire ces mots un

1. *Lettre sur l'Imposteur,* p. 1178. Cf. *ibid.,* p. 1174 : « Le ridicule est donc la forme extérieure et sensible que la providence de la nature a attachée à tout ce qui est déraisonnable, pour nous en faire apercevoir, et nous obliger à le fuir. » Dans cette perspective, le concept d'hypocrite parfait devient contradictoire, et de l'Onuphre de La Bruyère il faut dire non seulement qu'il n'est ni comique ni un personnage de théâtre, mais qu'il n'est point ni ne peut être.

artifice honnête / Pour m'obliger à rompre un hymen qui s'apprête » (v. 1445-1446). Tartuffe se trompe — partiellement — avec cette supposition, elle n'en est pas moins révélatrice de sa première réaction. Ne pouvant s'empêcher de prêter aux autres les mêmes procédés qu'il emploie à leur égard, Tartuffe se projette dans son jugement sur eux. Ainsi, pour justifier devant Cléante son refus d'intercéder en faveur de Damis, il trouve une raison qui, même imaginaire, dévoile parfaitement sa propre mentalité dans celle qu'il attribue à la société : « Dieu sait ce que d'abord tout le monde en croirait ; / A pure *politique* on me l'imputerait, / Et l'on dirait partout (...) / Que mon cœur l'appréhende et veut le ménager / Pour le pouvoir *sous main* au silence engager » (v. 1211-1213 et 1215-1216). La nature du soupçon est de se répandre. Autant que ses adversaires, les partisans de Tartuffe en sont touchés : Madame Pernelle soupçonne dès la première scène la personne la moins soupçonnable de la pièce de tromper son monde (v. 21-24 sur Mariane) ; Orgon craint d'être espionné par les siens (v. 428-430) et soupçonne toute sa famille d'utiliser les moyens les plus déloyaux pour faire soupçonner Tartuffe (v. 1119-1122). Par contrecoup, la famille va se défier d'Orgon — Elmire au début de l'acte III et Cléante au début de l'acte IV préfèrent traiter directement avec Tartuffe —, voire un temps de certains de ses membres : Damis et Elmire connaissent un froissement (Damis : « Vous avez vos raisons pour en user ainsi », v. 1035 ; Elmire : « et vous n'auriez rien dit, / Damis, si j'avais eu sur vous quelque crédit », v. 1071-1072) ; Mariane et Valère tombent dans le piège du dépit, où chacun des partenaires parle avec mauvaise foi (« Je vous conseille, moi, de prendre cet époux », v. 696 ; etc.) et accuse l'autre de mauvaise foi (« C'est donc ainsi qu'on aime ? Et c'était tromperie / Quand vous... », v. 705-706 ; etc.). Tartuffe, par ses manigances contre leur mariage (cf. v. 1042), réussit indirectement à faire naître le doute à l'intérieur même du couple des amoureux. Il est bien le corrupteur de la *fides,* non seulement en raison de sa personnelle perfidie, mais parce qu'il sème partout la dé-fiance.

La défiance entraîne la recherche du secret pour soi, éventuellement la calomnie pour les autres. *Tartuffe,* jusqu'au dévoilement radieux de la justice royale, baigne dans une atmosphère de secret. Au début de l'acte II, Orgon veut entretenir Mariane « en secret » (v. 428), et Dorine lui reprochera de combiner le mariage avec Tartuffe comme on trame un « complot » (v. 479), version familiale de la cabale. Afin de contrer ces manœuvres, Elmire convoque Tartuffe pour lui « parler en secret » et se déclare même « bien aise » que personne ne les « éclaire » (v. 897 et 898) — en quoi elle se trompe puisque son beau-fils Damis est en train de les espionner. La surprenante déclaration d'amour de Tartuffe ne la détourne pas de sa tactique : elle veut « à toute force en garder le secret » (v. 1064). Celui-ci a beau être dénoncé, il est pris pour mensonge par Orgon, et il faut rejouer la scène avec toutes les (fausses) garanties de l'incognito (« Oui, l'on a des secrets à vous y révéler », v. 1388 ; « regardez partout de crainte de surprise », v. 1390 ; etc.). Aussitôt après l'expulsion de l'imposteur, il appert qu'Orgon avait tu à Elmire l'existence de la donation et celle de la cassette qu'« en grand secret » (v. 1580) lui avait remise Argas. Ce dernier aveu couvre rétrospectivement la pièce d'une ombre de mystère, car le dépôt est antérieur à son commencement, et ouvre en symétrie un avenir de suspicion et de dissimulation : avec la clandestinité où Orgon va fuir la justice du roi, c'est sa vie tout entière qui s'engloutit dans le secret.

La défiance peut aussi s'exprimer dans la révélation des secrets supposés d'autrui. On a affaire alors à la calomnie, par quoi l'on veut tromper ou l'on se trompe en accusant les autres de tromperie. Dans le premier cas, les tartuffes du voisinage sont à l'œuvre (Daphné la voisine et « son petit époux », v. 103-116 ; Orante la prude, v. 118-140) et l'original lui-même, qui ne craint pas de pousser jusqu'à la délation (« Il m'avertit des gens qui lui font les yeux doux », v. 303) — non point par jalousie seulement, mais pour détourner de soi les soupçons. Et la tromperie touche au triomphe quand elle fait imputer ses torts à sa victime et qu'elle-même passe pour victime de la calomnie. C'est ce qui arrive dans le deuxième cas de figure, où Pernelle et Orgon prennent la défense de Tartuffe, l'innocent persécuté, contre une famille médisante et « malicieuse » (cf. v. 1121, 1320 et 1670). Damis et Elmire sont condamnés, insultés même, dans les termes exacts que mérite Tartuffe et qui lui seront appliqués au cinquième acte[1].

La tromperie s'exerce enfin sous la forme de la fraude ou de la feinte. Celles de Tartuffe et de son avatar Loyal, qui prétend venir voir Orgon « pour son bien » (v. 1724), sont professionnelles ; elles n'en suscitent pas moins l'émulation à l'intérieur et dans l'entourage immédiat de la famille d'Orgon. Le père, qui a appris de son directeur l'art des « faux-fuyants » (v. 1590), cherche des « finesses » (v. 418) pour rompre son engagement avec Valère. Le dupeur transforme ainsi le dupé à son image, mais aussi — dans une certaine mesure — ses victimes potentielles, qui se servent contre lui de ses propres méthodes. Dorine, à la fin de l'acte II, invite Mariane à feindre de consentir au mariage résolu par son père, puis à faire semblant d'être malade pour le retarder. Elmire surtout organise la tromperie — sa victime parlera de « lâches détours », v. 1560 — où succombera la réputation de Tartuffe : « mon âme à ses vœux va feindre de répondre » (v. 1378). Même, l'on va voir au cinquième acte Cléante, l'incarnation de la franchise, regretter qu'Orgon n'ait pas cherché des « biais » avec Tartuffe et souhaiter qu'on puisse

1. Orgon appelle son fils « traître » (v. 1087, 1108, 1128) et « ingrat » (v. 1115), qualificatifs qu'on retrouvera dans sa bouche dirigés contre Tartuffe (v. 1586, 1864, 1947 pour le premier ; v. 1878 pour le second). L'imposture qu'Orgon reproche à Elmire (v. 1350) et Tartuffe à la famille (v. 1562) revient à son véritable auteur au vers 1885 — et dans le titre de la pièce.

entre les deux hommes « de quelque *ombre de paix* raccommoder les nœuds » (v. 1600 et 1712) : ce raccommodement rappelle assez les « accommodements » (v. 1488) que Tartuffe trouvait avec le ciel. Enfin, c'est l'ami de Valère qui viole pour lui « par un pas délicat / Le secret que l'on doit aux affaires d'Etat » (v. 1831-1832) ; c'est Orgon qui tente par la fuite de se dérober à la justice par définition irréprochable de son prince ; c'est l'Exempt qui feint d'abord de mettre la puissance publique au service de l'imposture.

De ces diverses tromperies cependant, la culpabilité reflue sur leur cause première : Tartuffe est directement responsable des « finesses » d'Orgon pour lui avoir appris l'art de mentir sans scrupules (cf. v. 1591-1592) ; il est indirectement responsable des moyens utilisés par les autres membres de la famille pour se garantir de sa voracité. Contre ce Minotaure domestique toute défense apparaît légitime. Au reste, les fraudes ou feintes des victimes sont sans commune mesure avec celles de l'agresseur : Orgon, dès qu'il est désabusé sur le compte de son directeur, voit la malice de sa casuistique et y renonce (il flétrit du nom de « faux-fuyant », v. 1590, ce que Tartuffe devait baptiser « doctrine des restrictions mentales ») ; les conseils de Dorine ne seront pas suivis : ils avaient la fonction ludique d'introduire dans la comédie le miroitement des autres comédies possibles ; les accommodements évoqués par Cléante n'auront pas non plus de lieu : souhaits ou regrets, ils sont sans prise sur le déroulement de l'intrigue ; Valère, en révélant la démarche de son ami, suggère qu'elle doit rester exceptionnelle : eût-elle trouvé place dans la pièce si le roi spectateur lui-même n'eût dû absoudre cette indiscrétion politique ? Quant à la fuite d'Orgon, elle ne procède d'aucun défaut de loyalisme, mais de la seule crainte qu'un fourbe « conseiller » n'abuse un prince toujours résolu à faire régner la justice. Enfin l'Exempt dissipe une méprise qu'il n'avait entretenue que par le silence, et son attitude est entièrement justifiée par l'ordre du roi :

il « ne m'a jusqu'ici soumis à sa conduite [celle de Tartuffe] / Que pour voir l'impudence aller jusques au bout / Et vous faire par lui faire raison de tout » (v. 1930-1932).

La conduite du souverain avec Tartuffe ne vient-elle pas au surplus innocenter *a posteriori* celle d'Elmire, que plusieurs censeurs ont suspectée ? Car enfin le monarque en personne, incontestable modèle de moralité, a dû lui aussi feindre devant l'imposteur pour l'obliger à se dévoiler. Elmire a pour elle, également, toute la tradition comique qui fait de la ruse l'arme des faibles contre la tyrannie des méchants : on lui reproche ce que nul ne songe à reprocher à l'Ariste des *Femmes savantes* ou à la Toinette du *Malade imaginaire,* lorsque par mensonge et feinte ils amènent les imposteurs Trissotin et Béline à se démasquer devant ceux qui s'en étaient entichés. Il est vrai qu'on admettra plus difficilement la ruse, pour bien intentionnée qu'elle soit, dans une comédie qui pourfend précisément la direction d'intention. C'est pourquoi Molière s'est attaché à disculper son personnage avec une insistance qui est à la mesure de l'ambivalence de la situation où il s'est objectivement placé[1]. Avant l'entrevue avec Tartuffe, une tirade de dix-huit vers — adressée aux scrupuleux de la salle autant qu'à son mari — dégage de tout mal la responsabilité d'Elmire (« j'y suis réduite », v. 1373 ; « c'est pour vous seul », v. 1377 ; etc.) et ne lui laisse que le mérite de s'« exposer » (v. 1383) au monstre pour la cause de la vérité ; pendant l'entretien, il est souligné que la jeune femme n'éprouve pas la moindre tentation devant le « museau » de Tartuffe : « je suis au supplice » (v. 1497) ; puis, quand le traître est confondu, Elmire pousse la délicatesse jusqu'à s'excuser de son procédé (v. 1551-1552). Si faute il y a, le dramaturge la ferait retomber sur le monde entier plutôt que sur son héroïne — par « monde entier », entendons en l'occurrence Tartuffe (« Oui, madame, *on s'en charge* », v. 1520) et Orgon (« *on*

1. V. ci-dessus, p. 68.

m'a mise au point de vous traiter ainsi », v. 1552). Et s'il était besoin d'une caution extérieure, Molière la trouverait chez ce moraliste qu'on a vu si intransigeant à défendre la *fides* : « La perfidie peut être en quelque cas excusable ; lors seulement elle l'est, qu'elle s'emploie à punir et trahir la perfidie »[1]. Mais sa décisive caution, l'auteur la trouve chez le spectateur, qui ne pèse point au trébuchet les mobiles des personnages évidemment sympathiques : emporté par le rythme et sollicité de prendre parti, il adhère d'instinct au combat de ceux qu'il voit affronter l'imposture. Nul mystère en cela, puisque la règle suprême de *plaire* impose que la norme sur scène soit tirée de la conscience spectatrice.

Hypocrisie et duplicité

La tromperie partout répandue a son origine en Tartuffe et son relais principal en Orgon. Il ne s'agit nullement dans leur cas de combattre le mal par le mal, mais — consciemment ou non — de le propager, jusqu'à l'arrestation de l'un, jusqu'au désabusement de l'autre. La différence dupeur-dupé n'est point celle qui sépare le plus profondément les deux hommes, puisqu'en un sens elle les identifie, le dupé devenant simultanément dupeur au service de son dupeur. Un autre couple de concepts peut ici se révéler pertinent : celui de l'hypocrisie et de la duplicité. Alors que l'hypocrite veut tromper les autres, nous appellerons double ou « duplice » l'homme qui cherche à se tromper lui-même. La duplicité serait ainsi une hypocrisie à usage interne. En matière de religion, l'hypocrite ne croit pas mais le duplice, lui, triche avec ce qu'il croit. Immédiatement surgit l'interrogation que, sous diverses formules, la critique contemporaine continue de

1. Montaigne, *Essais* (III, 1), éd. citée, p. 797.

relancer : Tartuffe est-il hypocrite ou duplice ? Est-il hypocrite et duplice ?

Depuis Coquelin aîné, à la fin du XIXe siècle, jusqu'à nos jours, tout un courant d'interprétation défend la sincérité de Tartuffe : « Tartuffe athée ! non pas ; il est mystique »[1]. Les accommodements avec le ciel qu'il propose à Elmire, il les utilise aussi pour lui-même afin de mettre tant bien que mal sa conscience en repos. Tartuffe ainsi serait sa première dupe : l'hypocrisie chez lui, écrit M. Deguy, n'est pas « un masque de carnaval à déposer le soir sur sa table de nuit » — elle est « collée à son âme »[2]. Cette interprétation a le mérite de réhabiliter la valeur paradoxalement attribuée dans la pièce à l'apparence. Le vrai Tartuffe n'est autre que celui qui se dénonce à chaque mot et par sa seule face. Mais ce n'est pas parce qu'il se trahit à tout instant qu'il acquiert le droit d'être appelé *sincère.* Il existe sans doute un bon usage de l'hypocrisie — c'est « l'abêtissement » pascalien avec son eau bénite et ses génuflexions —, mais nulle métamorphose de Tartuffe ne vient témoigner que l'hypocrite se serait laissé prendre à son propre jeu comme le Genest de Rotrou peu à peu envahi par la sainteté de son rôle. N'imaginons pas, à la façon de tel partisan du « mysticisme » de Tartuffe, que le cagot une fois remonté dans sa chambre se jette au pied du crucifix ; il se jette sur son lit. S'il était absorbé par la prière, abandonnerait-il à peine entamées ses prétendues dévotions vespérales (v. 1267) dès qu'Elmire lui propose un entretien (v. 1387) — comme il avait renvoyé aux calendes grecques, pour le même motif, sa distribution d'aumônes aux prisonniers ? Que Tartuffe se moque bien de prier, Dorine nous l'apprend par ces vers : « Il passa dans sa chambre au sortir de la table, / Et dans son lit bien chaud il se mit *tout sou-*

1. Constant Coquelin, *Tartuffe,* Paris, Ollendorf, 1884, cité dans Scherer, *Structures de Tartuffe,* p. 87 (éd. 1966).

2. Un vrai Tartuffe, ou l'espace domestique et la noirceur (*Critique,* t. XX, n° 204, mars 1964, p. 404).

dain, / Où sans trouble il dormit jusques au lendemain » (v. 246-248). Si, même démasqué, il continue à parler le langage de la dévotion (cf. v. 1563), ce n'est pas qu'il lui soit consubstantiel, c'est par l'orgueil — cet orgueil de Tartuffe régulièrement dénoncé dans la pièce — de maintenir son personnage et parce qu'il prévoit que ce masque lui sera utile pour perdre la famille d'Orgon[1]. Mauvais acteur, Tartuffe en public ne cesse pas de jouer : mais, loin que le masque colle à son visage, perpétuellement il s'en détache et perpétuellement le comédien s'efforce de le réajuster. La meilleure preuve de cette dissociation — hors de laquelle il n'y aurait point de comique —, c'est que Tartuffe peut changer de masque : il a derrière lui une longue carrière de fourbe, « dont on pourrait former des volumes d'histoires » (v. 1926), où certainement il a joué toutes sortes de personnages ; et le dénouement montre que le rôle de fidèle sujet relaie celui de dévot zélé, « l'intérêt du prince » (v. 1880) se substituant à « l'intérêt du ciel » (v. 1207) : prétendra-t-on encore que le masque se confonde avec le visage ? Si oui, on se heurte aux arguments sans réplique de Cléante (v. 1887-1896) ; sinon, rien n'autorise à croire davantage à la sincérité religieuse de Tartuffe qu'à sa sincérité politique. Aucun indice, à la vérité, ne laisse supposer en lui un authentique trouble de conscience, ni qu'il joue avec une croyance qui l'imprégnerait intimement : Tartuffe n'est pas hypocrite vis-à-vis de soi, mais seulement à l'égard des autres.

Cela n'empêche pas qu'à deux reprises Tartuffe ne se trompe lui-même, mais ce n'est nullement au sens où il serait pris au jeu de la foi qu'il mime, ou qu'il pervertirait les exigences d'une foi hypothétique pour abuser sa propre conscience. La première circonstance est indiquée par Elmire :

1. Cf. *Lettre sur l'Imposteur,* p. 1165. La réaction de Tartuffe exprime si peu une intime conviction religieuse qu'elle était décrite d'avance par Cléante dans sa revue générale des procédés des faux dévots, aux vers 375-380.

« on est aisément dupé par ce qu'on aime, / Et l'amour-propre engage à *se tromper soi-même* » (v. 1357-1358). Tartuffe, en effet, va se laisser duper au cours du second entretien, et le texte fait entendre qu'à travers Elmire il le sera en réalité par lui-même (ce qui dégage le plus profondément la responsabilité de la jeune femme : elle est l'occasion, non la cause de la chute de Tartuffe). En aimant Elmire, il s'aime lui-même ; en cédant à son désir, il cède aussi — d'abord, peut-être — à l'orgueil : Tartuffe est grisé à l'idée d'être aimé, lui qui se sait peu attirant (comme le marque sa jalousie pour les « galants de cour », v. 989). Par l'amour qu'on affirme lui porter, Tartuffe tient en quelque façon dans sa dépendance un être qui, à presque tous les points de vue, lui est supérieur. Le gueux a rendu amoureuse de lui la grande bourgeoise, il lui fait fouler aux pieds en sa faveur l'honnêteté et la crainte du ciel (« Mais des arrêts du ciel on nous fait tant de peur ! », v. 1484) : Tartuffe se voit préféré à Dieu. Sa charnelle *libido sentiendi* est aiguillonnée, portée, exaltée par la première, fondamentale et proprement luciférienne forme de l'amour de soi — la *libido dominandi.* La seconde circonstance où Tartuffe est victime de soi est indiquée par l'Exempt : « Venant vous accuser, dit-il à Orgon, *il s'est trahi lui-même* » (v. 1921). La traîtrise dénoncée chez l'autre dénonce en Tartuffe sa propre traîtrise. Il est aveuglé ici par son avidité et son ressentiment comme il l'était devant Elmire par le désir et l'orgueil. La providence dramaturgique et monarchique opère sur le modèle, et éventuellement dans la mouvance, de la providence divine grâce à laquelle — disent les auteurs religieux — le mal, rendu « contraire à soi-même », « s'embarrasse et se détruit par sa propre malice »[1].

Une semblable providence épargne cependant Orgon dans

1. Pascal, XVIe *Provinciale,* p. 323 — à rapprocher de la fin de la XIIe, p. 234-235. Cf. Bossuet, *Discours sur l'Histoire universelle,* IIIe part., chap. 8.

des actes (le contrat de donation, le transfert de la cassette) où il devrait lui aussi être victime de soi. C'est que les fautes ne sont pas égales de Tartuffe et de lui. Tartuffe, en voulant tromper les autres, est trompé par lui-même ; Orgon, en étant trompé par Tartuffe, se trompe lui-même. A la différence de son directeur de conscience, la foi du dirigé est insoupçonnable ; mais, alors que Tartuffe se sert de sa foi prétendue pour abuser les autres, Orgon se sert de sa foi authentique pour s'abuser lui-même. Par où le premier est hypocrite et le second, duplice. Orgon en effet ne voit pas — car notre âme, dit l'auteur de la *Lettre sur l'Imposteur,* « ne s'avoue jamais à soi-même la moitié de ses propres mouvements » (p. 1179) — qu'il fait de la dévotion un instrument de son amour-propre, et particulièrement de sa *libido dominandi.* Le fantasme de l'omnipotence éclate partout en Orgon, jamais plus naïvement peut-être que dans cet étonnant argument à sa fille pour lui faire accepter le mariage avec Tartuffe : « vous ferez de lui tout ce que vous voudrez » (v. 536). Or cette âme naturellement « faible »[1] ne peut trouver dans les ressources de sa volonté la force d'affirmer son désir de dominer : la religion incarnée en Tartuffe va lui permettre — par une perversion bien connue des moralistes du XVIIe siècle[2] — d'exercer grâce au détour de l'humilité une tyrannie, voire un sadisme, qu'il n'oserait jamais imposer sans garantie transcendante. Tartuffe est à cet égard son entremetteur avec le

1. *Lettre sur l'Imposteur,* p. 1168 (« suivant le naturel des âmes faibles »). La *Lettre* voit la marque de cette faiblesse dans les insultes qu'Orgon, se sachant hors de danger, commence à déverser sur Tartuffe prisonnier (v. 1947) ; de fait, Cléante l'empêche aussitôt de descendre « à des indignités » (v. 1948). On peut aussi la lire dans sa dénégation même : « Allons, ferme, mon cœur ! point de faiblesse humaine » (v. 1293). La faiblesse d'Orgon n'est pas absence de courage (cf. v. 182), elle est dans l'absence d'Orgon au principe de son courage, comme on le montre par après.

2. Cf. La Rochefoucauld, maxime 254 : « L'humilité n'est souvent qu'une feinte soumission, dont on se sert pour abaisser les autres » ; Pascal, fr. 655-377 des *Pensées* : « Les discours d'humilité sont matière d'orgueil aux gens glorieux. »

ciel (cf. l'expression du v. 529 : « Enfin avec le Ciel l'autre est le mieux du monde ») ; en tant que directeur, il est même la vivante caution de l'au-delà. A l'abri, si l'on ose dire, de ce paratonnerre spirituel, Orgon va pouvoir en toute bonne conscience déployer des instincts naturels que le terme nietzschéen de *ressentiment* décrirait avec exactitude. C'est en se soumettant à un autre qu'Orgon se soumet tous ceux avec qui il lui est donné de vivre ; sa faiblesse tient en ceci qu'il doit faire d'un homme « son tout » (v. 195) pour réduire les autres hommes à rien (cf. v. 276-279). Cette toute-puissance par délégation équivaut donc à une toute-dépendance, qu'Orgon reconnaît (« Non, vous demeurerez, il y va de ma vie », v. 1165) mais sans en savoir la raison — d'où, ajouté à la déception amoureuse, son effondrement intérieur quand, au cours du second entretien avec Elmire, Tartuffe arrache à Orgon son masque d'homme sage et fort, de patriarche biblique supérieur à l'humaine faiblesse : « C'est un homme, entre nous, à mener par le nez » (v. 1524). L'autoritarisme d'Orgon, miné dès le principe, n'est qu'une mascarade de l'impuissance. Exercé sur le mode enfantin du caprice (« Mais je veux que cela soit une vérité », v. 451 ; « Faire enrager le monde est ma plus grande joie », v. 1173), qui trouve dans l'auto-affirmation de la volonté une compensation magique à l'incapacité de faire plier celle des autres, il appelle irrésistiblement sur Orgon le jugement que Nietzsche porte sur le besoin de croyance : « le fanatisme est la seule "force de volonté" à laquelle on puisse amener les faibles »[1].

Molière tartuffe ?

Si Molière s'était contenté de démasquer un hypocrite, « l'affaire *Tartuffe* » n'eût sans doute pas connu un aussi

1. *Le Gai Savoir,* liv. V, § 347.

profond retentissement ; mais il a aussi démystifié un duplice. En ridiculisant un dévot sincère en même temps qu'un dévot truqueur, Molière n'a-t-il pas attaqué la religion elle-même sous prétexte de dénoncer l'imposture ? L'accusation d'hypocrisie a été lancée contre lui dès 1665 (« Molière est lui-même un tartuffe achevé et un véritable hypocrite », écrit Rochemont dans ses *Observations sur (...) le Festin de Pierre*)[1], et aujourd'hui encore trouve des procureurs (« *Tartuffe,* ou Molière hypocrite » est le titre d'un article de J. Cairncross paru en 1972)[2]. Sans prétendre atteindre l'homme Molière dans ses convictions intimes, que peut-on lire dans le texte et immédiatement autour de lui des intentions de son auteur ?

Certainement, Molière vise plus que l'hypocrisie. Sa comédie met en vue, selon le premier Placet, « toutes les grimaces étudiées de ces gens de bien à outrance, toutes les friponneries couvertes de ces faux-monnayeurs en dévotion » que sont « les hypocrites » (p. 889/29) : mais le terme d'hypocrite reçoit ici une extension inhabituelle, car les « gens de bien à outrance » ne sont pas tous des « faux-monnayeurs en dévotion ». Posons que la catégorie des faux dévots enferme à la fois les hypocrites au sens strict et les rigoristes, les Tartuffes et les Orgons. Semblable extension apparaît aussi dans les tirades de Cléante à la scène 5 de l'acte I : on y trouve l'opposition entre la bonne et la fausse monnaie (v. 338), mais aussitôt traduite en une opposition de la mesure et de l'excès (« La raison a pour eux [les hommes] des bornes trop petites ; / En chaque caractère ils passent ses limites, / Et la plus noble chose, ils la gâtent souvent / Pour la vouloir outrer et pousser trop avant », v. 341-344). Autant dire que seront appariés, dans la dénonciation, le comportement de celui qui feint une croyance à laquelle par définition il n'adhère pas et l'attitude de celui qui pousse jusqu'à une rigueur fanatique

1. *Recueil Mongrédien,* t. I, p. 236.
2. *Rev. Hist. litt. Fr.,* sept.-déc. 1972, n° 5-6, p. 890-901.

la croyance dont il est authentiquement habité. Dans *Tartuffe,* Molière attaque plus que Tartuffe ; il attaque ce qui permet Tartuffe — à savoir Orgon. Si le premier utilise la religion pour tromper, c'est parce que le second se fait de la religion une conception qui appelle la tromperie : l'hypocrisie joue avec prédilection sur le terrain de la superstition. Et la superstition, qui engendre le fanatisme, a son origine dans la peur. Qu'Orgon soit superstitieux, les prétextes imaginés par Dorine pour le convaincre de reculer le mariage de Tartuffe et de Mariane en font foi : « Tantôt vous payerez de présages mauvais : / Vous aurez fait d'un mort la rencontre fâcheuse, / Cassé quelque miroir, ou songé d'eau bourbeuse » (v. 804-806). A l'évidence également, le ressort du zèle aveugle d'Orgon est non point l'amour mais une vaine crainte servile de Dieu[1], dont Tartuffe entend se servir — à l'instar d'Arnolphe avec ses « chaudières bouillantes » (*L'Ecole des femmes,* v. 727) — comme d'un moyen de domination sur une âme faible : « Mais des arrêts du ciel on nous fait tant de peur ! » (v. 1484)[2]. Pour autant, Molière a-t-il entendu stigmatiser dans le couple superstition-domination plus qu'une forme pervertie de la religion : la religion même comme pratique pervertissante ?

Il faut avouer que rien dans le texte ne prouve le franchissement de ce pas. Le contraire eût été étonnant, s'agissant d'une pièce destinée à être représentée devant la cour et la ville du Roi Très Chrétien. Aucun des arguments avancés depuis Roullé, Rochemont et Péréfixe (qui n'avaient vu ni

1. La crainte servile (qui appréhende la damnation) est opposée par les théologiens à la crainte filiale (qui appréhende d'offenser en Dieu un Père aimé) ; elle est « inutile », voire « malicieuse », si elle ne fait éviter le péché (F. de Sales, *Traité de l'Amour de Dieu,* liv. XI, chap. XVIII, éd. Pléiade des *Œuvres,* p. 931) — ce qui est visiblement le cas d'Orgon (cf. v. 552, 581, 1671, 1694, etc.).

2. Le vers est prononcé par Elmire, mais il résume bien ce que doit être, au sein de la famille, l'enseignement d'un homme qui « s'impute à péché la moindre bagatelle » (cf. l'histoire de la puce) et qu'« un rien presque suffit » à « scandaliser » (v. 306-307).

lu la comédie) pour montrer que *Tartuffe* attaque la religion elle-même n'emporte la conviction. Saint Paul, par exemple, n'est pas mis en cause lorsque Tartuffe enseigne à regarder « tout le monde » comme « du fumier » (v. 274), car l'Epître aux Philippiens porte OMNIA (toutes choses, c'est-à-dire toutes les dignités humaines) *arbitror ut stercora* ; ni l'Evangile, qui fait de l'amour un commandement, n'est compromis par l'indifférence d'Orgon à l'idée de la mort de ses proches (v. 278-279) : la « haine » dont parle Luc, XIV, 26, a toujours été interprétée comme une préférence donnée au Christ sur l'amour des créatures, nullement comme une détestation positive des autres hommes ou un encouragement à l'insouciance devant leur maux ! On ne saurait identifier non plus les prohibitions que Tartuffe tente d'impatroniser, aux exigences communes de la piété pratiquée dans la société sincèrement chrétienne du XVIIe siècle. En affirmant que « les exercices de la piété souffrent des intervalles » et que les hommes ont « besoin de divertissement » (Préface, p. 888/27), Molière rejoint contre son imposteur le constat de saint François de Sales : « Il est force de relâcher quelquefois notre esprit, et notre corps encore, à quelque sorte de récréation »[1]. Le même saint ne songe point, comme Madame Pernelle, à interdire les visites, les bals et les conversations (cf. v. 151), il recommande seulement d'user avec « discrétion » — c'est-à-dire avec mesure — de ces divertissements ; tout en mettant en garde contre les occasions de péché qu'ils procurent, l'*Introduction à la vie dévote* affirme que « les danses et bals sont choses indifférentes de leur nature »[2]. Que sera-ce si on s'adresse à des jésuites comme le P. d'Estrade, l'apologiste du bal, ou le P. Le Moyne, débonnaire auteur de la

1. *Introduction à la vie dévote,* IIIe part., chap. XXXI, éd. citée, p. 220.
2. *Introduction,* IIIe part., chap. XXXIII, p. 222.

Dévotion aisée[1] ! Pas davantage l'aventure d'Orgon ne condamne la direction de conscience, puisqu'il n'a pas respecté les deux règles prévues par les auteurs spirituels pour l'empêcher de dégénérer en soumission indue : le discernement dans le choix du directeur — « un entre dix mille », selon saint François de Sales encore[2] — et l'absence de tout attachement humain du dirigé à son directeur. Dans le christianisme vécu par Orgon, le chrétien n'est absolument pas tenu de se reconnaître : il peut y voir bien plutôt la confirmation du jugement de Pascal que « soutenir la piété jusqu'à la superstition, c'est la détruire »[3], et la justification de l'avertissement salomonique : « Ne soit pas juste à l'extrême et ne fais pas le sage à l'excès »[4]. L'Ancien Testament — et à sa suite toute une lignée de moralistes chrétiens[5] — vient donc

1. Paris, 1652. V. particulièrement les chap. 4 et 8 du livre II : « Que la dévotion ne condamne point les divertissements » et « Que la dévotion ne rejette pas toute sorte de parures ». Le sage « sera sobre sans austérité » (p. 124) et l'honnêteté de ses divertissements (au nombre desquels les « spectacles », p. 102) fera « une plus douce et plus efficace censure de la débauche et des Bacchanales qu'une sévérité importune, qui viendrait à contre-temps et hors de sa place » (p. 125). « La Vertu n'est pas ennemie des Grâces (...), ce n'est que celle des hypocrites qui est fâcheuse » (p. 195).
2. *Introduction,* Ire part., chap. IV, p. 40.
3. *Pensées,* fr. 181-255(cf. fr. 187-254 et 908-262).
4. Ecclésiaste, VII, 16. On relèvera que c'est d'un commentaire de l'Ecclésiaste que le jésuite Jean Maury fait hommage à Molière en décembre 1667 : son *Theatrum universae vanitatis, seu Excursus morales in Ecclesiastem Salomonis* (Paris, Billaine, 1668) est accompagné d'une épître *Ad Molierum* où se marque une admiration enthousiaste. Ce n'est pas le seul jésuite favorable à Molière, qui est un ancien élève des bons Pères : le P. Vavasseur le vengera, dans une épitaphe latine traduite par le P. Bouhours (« Ta muse, en jouant l'hypocrite, / A redressé les faux dévots »), de l'ingratitude de ses contemporains.
5. La norme du juste milieu est passée d'Aristote aux scolastiques. Au XVIIe siècle, où il ne signifie pas encore platitude ni compromission — la μεσότης est *au-dessus,* non pas *entre* —, le juste milieu a tout particulièrement la bénédiction de François de Sales, canonisé en 1665. J. Plantié, dans un stimulant article sur François de Sales et Molière (*Rev. Hist. litt. Fr.,* sept.-déc. 1972, n° 5-6) rapproche des conseils du saint le discours de Cléante ou de Philinte (par ex. : « Et me semble qu'il faut fuir les deux extrémités », *Introduction,* IIIe part., chap. XXX, p. 219, et : « La parfaite raison fuit toute extrémité », *Le Misanthrope,* v. 151).

cautionner le « juste milieu » de Cléante, comme l'Evangile trouve son application dans le pardon qu'il accorde à Tartuffe au terme de la pièce. Loin que la religion ne soit représentée dans la comédie que par un fourbe, un imbécile et une radoteuse, elle s'exprime par la bouche d'un « véritable homme de bien » (Préface, p. 884/22), qui est prévu dramaturgiquement pour servir de pôle d'identification au spectateur.

Mais quelle est au juste cette religion défigurée par Orgon et incarnée en Cléante ? Il ne peut s'agir, pour anticiper sur un titre fameux de Kant, que d'une religion *dans les limites de la simple raison.* La comédie ayant pour objet d'exhiber le ridicule de tout ce qui contredit la raison, elle sortirait de son domaine en traitant de ce qui dépasse la raison. C'est pourquoi, comme l'écrit J. Scherer, « si Cléante avait fait profession de christianisme plus clairement encore qu'il ne le fait dans le texte de Molière, le public ne l'aurait pas suivi et aurait trouvé son attitude choquante »[1]. La folie de la croix ne peut avoir de place dans la comédie classique, mais tout au plus sa sagesse pour servir de norme face à la perverse rationalité des simulateurs et à l'irrationalité des fanatiques. De là vient l'inexhaustible ambiguïté du *Tartuffe,* qui ne peut affirmer de la religion que ce qui lui est commun avec la raison naturelle et peut donc aussi bien procéder d'une autre source que la religion. On a vu déjà que la sincérité de l'apparence est une proposition à la fois épicurienne et chrétienne ; de la même façon, la crainte superstitieuse d'Orgon est blâmée tant par le théologien catholique que par le philosophe rationaliste : pour le premier, elle adultère une foi qui consiste en « l'usage » aussi bien qu'en « la soumission » de la raison[2], pour le second elle exprime au contraire l'essence de la religion, qui s'alimente principalement à *metus ille*

1. *Structures de Tartuffe,* p. 96.
2. Pascal, *Pensées,* liasse XIII (éd. Lafuma) ou sect. IV (éd. Brunschvicg).

Acheruntis[1]. Le juste milieu dont se réclame Cléante peut venir du libertin chevalier de Méré comme de saint François de Sales, et son pardon final du généreux idéal de l'honnêteté comme du précepte évangélique. Raison, honnêteté : autant de valeurs qu'intègre le christianisme en les dépassant — *gratia non tollit naturam sed perficit*[2] —, mais qui peuvent subsister en dehors de lui.

De quel lieu parle Molière ? le contenu du texte ne permet pas de répondre à cette question, parce que l'au-delà de la raison et de l'honnêteté coïncide précisément avec l'au-delà du texte[3]. A moins que l'on ne transforme le problème lui-même en solution : le lieu de Molière serait celui de l'équivocité de la comédie. Une telle équivocité, on peut en trouver le paradigme chez un des maîtres de Molière — Montaigne, dont les *Essais* étaient à la fois le bréviaire des libertins et le livre de chevet de Pascal ; Montaigne, qui fait profession (et pourquoi ne pas le croire ?) de christianisme et de sincérité, mais qui cherche en même temps dans la soumission à nature et dans un « modèle commun et humain » ennemi des « humeurs transcendantes »[4] — dont l'excès renvoie toujours à un manque — un art de vivre susceptible de le

1. « Cette crainte de l'Achéron [*i.e.* des Enfers] » (Lucrèce, *De Natura rerum,* III, v. 37). *Le Tartuffe* peut se lire comme une illustration du vers fameux (I, 101) de ce même poème : *Tantum religio potuit suadere malorum* (« Tant la religion a pu conseiller de crimes ! »). L'ambiguïté n'est pas levée pour autant, car cela ne prouve pas la fausseté de ladite religion (cf. « liberté, que de crimes on commet en ton nom ! »).

2. « La grâce ne détruit pas la nature, mais la rend plus parfaite » (saint Thomas, *Somme théologique,* Ire part., q. I, a. 8). A rapprocher de la formule de la *Lettre sur l'Imposteur* : « la religion n'est qu'une raison plus parfaite » (p. 1170) — mais la restriction (*ne... que*) réintroduit l'ambiguïté.

3. Dira-t-on que la seule production du texte condamne Molière d'impiété, parce que en jouant la fausse dévotion au théâtre il n'a pu la distinguer de la vraie et parce qu'il a pris le risque de scandaliser les croyants ? Nos précédentes considérations sur le statut de l'apparence répondent à la première objection ; l'exemple des *Provinciales* accusant d'hypocrisie les pratiques de la Compagnie de Jésus et confrontées pour cela à une « cabale des dévots », répond à la seconde.

4. *Essais,* liv. III, chap. XIII, éd. citée, p. 1116 et 1115.

rendre heureux que le christianisme soit vrai ou faux. Molière, comme lui, serait-il l'homme qui ne parie pas ? « Entre nous, concluent les *Essais,* ce sont choses que j'ai toujours vues de singulier accord : les opinions supercélestes et les mœurs souterraines »[1]. *Tartuffe* ne dit pas autre chose, qui ne choisit pas les rigoristes contre les laxistes, ni les laxistes contre les rigoristes, mais qui peint dans les « gens de bien à outrance » et les « faux-monnayeurs en dévotion » les deux faces indissociables d'une unique imposture. Molière délimite ainsi un territoire commun à la grâce et à la nature, au christianisme et à la société, où nul hypocrite, nul fanatique n'oseraient légitimer par un « devoir sacré » — qu'il soit religieux ou politique — l'exercice délicieusement impavide de sa « juste violence » (v. 1881).

1. *Essais, ibid.,* p. 1115.

La place de « Tartuffe » dans l'œuvre de Molière

« Tartuffe » et la production moliéresque antérieure à mai 1664

On date généralement de *L'Ecole des femmes* (1662) la naissance de la « grande comédie », où se synthétisent — en cinq actes et en vers — les deux traditions de la farce et de la comédie d'intrigue. *Tartuffe* est alors la seconde « grande comédie » de Molière, si l'on considère que la pièce est « achevée en cinq actes » (*Registre* de La Grange) pour le 29 novembre 1664. Le texte définitif de 1669, qui est le seul en notre possession, témoigne en tout cas de cette double filiation et de son dépassement. *Tartuffe* tient de la farce par son sujet : on y trouve le « prêtre » paillard, le mari aveugle et la femme rusée — mais rusée au profit de son époux et sans nulle complaisance pour le galant, à la différence d'Angélique dans *La Jalousie du Barbouillé. Tartuffe* participe encore de la farce par le comique gestuel, mais Molière, comme le remarque J. Guicharnaud, en « retient les violences »[1] : Orgon n'obtient pas contre son fils, ni Damis n'utilise contre Monsieur Loyal le bâton que manient vigoureusement La Grange dans *Les Précieuses ridicules* ou Alcidas dans *Le Mariage forcé* ; au surplus, la mésentente des époux ne prend jamais dans *Tartuffe* les allures de la scène de ménage traditionnelle dans le genre de la farce, et l'appellation « madame la carogne » (*Sganarelle,* v. 190) serait fort déplacée même dans la bouche du colérique Orgon. De la comédie d'intrigue, *Tartuffe* garde l'enjeu sentimental — concentré essentiellement dans le second acte, où Molière module la scène 3 de l'acte IV

1. *Op. cit.*, p. 152.

de son *Dépit amoureux* — et le dénouement miraculeux : l'envoyé du roi tombe du ciel (où cependant Tartuffe l'était allé chercher) aussi providentiellement qu'Enrique revient d'Amérique à la fin de *L'Ecole des femmes.* Les innovations dramaturgiques comme l'ambition idéologique donnent cependant à *Tartuffe* une dimension inégalée jusque-là dans l'œuvre moliéresque. D'une part, la polarité fondamentale voleur-volé se dédouble : le personnage-obstacle, représentant l'autorité répressive et destinée à être bernée, n'est plus seul de son espèce ; la comédie n'est plus tout entière construite autour d'Orgon comme elle l'était autour d'Arnolphe. La crédulité du barbon, qui jouait en faveur des amoureux dans *L'Ecole des maris,* joue maintenant contre eux car elle s'est adjoint la perspicacité d'un trompeur. Le voleur, symétriquement, n'est plus seulement le jeune blondin sympathique et un peu fade connu sous les noms d'Horace ou de Valère ; il se double lui aussi d'une créature inquiétante — la même, puisque son hypocrisie place Tartuffe dans les deux camps opposés —, sans délicatesse ni scrupules, et dont l'avidité s'étend bien plus loin qu'à la légitime possession de la jeune amoureuse, d'ailleurs fort dégoûtée de lui. Sur le plan idéologique d'autre part, *Tartuffe* dépasse largement les thèmes antérieurs du cocuage, de la préciosité ou de l'éducation des filles pour toucher, avec l'hypocrisie, aux deux formes contemporaines du sacré : la religion et l'Etat.

« Tartuffe », « Dom Juan » (1665) et « Le Misanthrope » (1666)

Pendant les années de la querelle autour de *Tartuffe,* l'imposteur chassé de la scène s'y réintroduit sous des déguisements ou des allusions transparents. Dom Juan montre des traces d'hypocrisie dès le début de la comédie qui porte son nom : tout en affirmant à Done Elvire qu'il n'a « point le talent de dissimuler », il prétend l'avoir quittée « par un pur motif de conscience et pour ne croire pas qu'avec [*elle*] davantage [*il*] puisse vivre sans péché » (I, 3). A l'acte V, la conversion de Dom Juan à l'hypocrisie est acquise, et expliquée par l'intéressé lui-même — ce que ne fait jamais Tartuffe — en des termes qui rappellent le premier Placet aussi précisément qu'ils annoncent la Préface de 1669 : « Il y en a tant d'autres comme moi, qui se mêlent de ce métier... L'hypocrisie est un vice à la mode... Tous les autres vices des hommes sont exposés à la censure (...) mais l'hypocrisie est un vice privilégié... Je pousserai mes ennemis, je les accuserai d'impiété et saurai déchaîner contre eux des zélés indiscrets, qui, sans connaissance de cause, crieront en public contre eux, qui les accableront d'injures et les damneront hautement de leur autorité privée » (V, 2)[1]. La pièce de *Tartuffe* elle-même est plus directement présente à cette longue tirade de Dom Juan par la dénonciation de la « société étroite » qui lie « tous les gens du parti », par l'expression « se faire un bouclier du manteau de la religion » et bien sûr par le programme du nouveau confrère : « Je m'érigerai en censeur des actions d'autrui... Dès qu'une fois on m'aura choqué tant soit peu, je ne pardonnerai jamais... Je ferai le vengeur des intérêts du Ciel »[2]. Dans *Le Misanthrope,* Tartuffe ressemble comme un frère au « franc scélérat » avec qui Alceste est en procès (I, 1, v. 123-140 ; V, 1, v. 1493-1504) et paraît en version féminine avec le personnage d'Arsinoé : « Dans tous les

1. Cf. Préface, p. 883/21 : « un métier dont tant d'honnêtes gens se mêlent » ; premier Placet, p. 889/29 : « ... attaquer par des peintures ridicules les vices de mon siècle ; et comme l'hypocrisie, sans doute, en est un des plus en usage... » ; Préface, p. 885/23 : « Si l'emploi de la comédie est de corriger les vices des hommes, je ne vois pas par quelle raison il y en aura de privilégiés » ; premier Placet, p. 890 et 891/30 : d'après le livre de Roullé, je suis — écrit Molière — « un impie digne d'un supplice exemplaire » et son auteur « veut absolument que je sois damné » ; Préface, p. 884/22 : les dévots « font crier en public des zélés indiscrets, qui me disent des injures pieusement, et me damnent par charité ».

2. Cf. *Tartuffe,* v. 397 et 1705 ; 1886 ; 45-48, 51, etc. ; 1563.

lieux dévots elle étale un grand zèle ; / (...) / Elle fait des tableaux couvrir les nudités, / Mais elle a de l'amour pour les réalités » (v. 941 et 943-944). Le sujet de la pièce étant aussi, en un sens, l'hypocrisie, on trouvera répandu sur les mondains médisants et artificieux — en particulier Célimène — divers traits tartuffesques dont Alceste lui-même, en tant qu'il veut toujours « se mêler de corriger le monde » (v. 158), n'est pas absolument exempt. Ce dernier rapprochement met, au demeurant, sur la voie de ce qui sépare profondément *Tartuffe* d'une part, *Le Misanthrope* et *Dom Juan* de l'autre : là, le jugement du dramaturge et du spectateur est tranché[1] — ici, il hésite : Dom Juan est condamné pour son hypocrisie, mais sa bravoure et son brio séduisent ; il y a quelque chose d'« héroïque » (v. 1166) dans la croisade d'Alceste contre l'insincérité, mais sa roideur d'un autre âge signale une « folie » (v. 157, etc.) qui l'expose au ridicule. En d'autres termes, la norme, si elle fonctionne dans *Tartuffe* avec toute l'efficace de son univocité, est contestée par le dramaturge lui-même dans *Dom Juan* et *Le Misanthrope* au point de compromettre chez le spectateur la bonne conscience, voire l'existence, du rire[2].

« Tartuffe » et la production moliéresque postérieure à 1667[3]

Si l'on garde à l'esprit que l'œuvre de Molière témoigne d'une prédilection croissante pour la comédie en trois actes

1. « Je n'ai point laissé d'équivoque » (premier Placet, p. 890/29) : on sait tout de suite qui est le faux dévot et le mal qu'il faut penser de lui. L'équivoque naît sur un autre plan, celui de l'interprétation critique : le « vrai dévot » est vraiment dévot, mais à quelle vérité ?

2. Au contraire, dans *Tartuffe,* « les rires de Cléante et de Dorine constituent le *juste* châtiment de la folie d'Orgon et de Madame Pernelle » (G. Defaux, *Molière ou les métamorphoses du comique,* p. 180). Sur la contestation de la norme dans *Le Misanthrope,* on lira en particulier la profonde analyse de J. Mesnard, *Le Misanthrope,* mise en question de l'art de plaire, *Rev. Hist. litt. Fr.,* sept.-déc. 1972, n° 5-6, p. 864-889.

3. Année de *Panulphe, ou l'Imposteur,* dont on a vu que le texte différait fort peu de la version définitive du *Tartuffe.*

et en prose, pour la farce et le ballet, *Tartuffe* risque d'apparaître peu accordé à son orientation future. A y regarder de plus près cependant, un critère — défini par R. Garapon — permet de montrer que *Tartuffe* prépare cette évolution, peut-être dès 1664[1] : c'est celui du coefficient d'occupation moyenne de la scène. Le nombre moyen de personnages en scène est en effet de 3,8 dans *Tartuffe* — ce qui traduit une recherche du spectaculaire sensiblement plus marquée que dans *Dom Juan* (3) ou *Le Misanthrope* (2,9) et annonçant les comédies de la dernière période (4 pour *L'Avare* en 1668 ; 4,5 pour *Le Bourgeois gentilhomme* en 1670 ; 4,3 pour *Les Femmes savantes* en 1672). En ce qui concerne les personnages et l'intrigue, Orgon est le premier en date des pères de famille maniaques qui, tels Jourdain ou Argan, veulent à toute force pour l'amour d'eux-mêmes faire épouser à leur fille un individu qui incarne leur obsession. La parenté d'intrigue est particulièrement notable entre *Tartuffe* et *Les Femmes savantes* : Philaminte (qui occupe structurellement la place du père tyrannique) s'est « coiffée », comme Orgon, d'un imposteur — Trissotin, le Tartuffe des belles-lettres — habile à encourager sa volonté de puissance par de nobles motifs ; Henriette, comme Mariane, n'échappe au sinistre mariage que grâce à une ruse dévoilant aux yeux du chef la turpitude du futur gendre (dans *Tartuffe* toutefois, la ruse qui sauve Mariane ne suffit pas à mettre l'hypocrite hors d'état de nuire). Enfin, l'on peut observer une certaine démoralisation de la comédie moliéresque, qui semble s'être « tartuffiée » après *Tartuffe*[2] : *Amphitryon* loue en Jupiter le divin imposteur ; il n'y a plus de raisonneur dans *L'Avare,* où Valère « éprouve que pour

1. C'est à cette date que R. Garapon fait figurer la pièce dans les tableaux comparatifs de son article Sur l'occupation de la scène dans les comédies de Molière (*Molière : Stage and Study, Essays in honour of W. G. Moore,* Oxford, Clarendon Press, 1973, p. 15).
2. Cf. G. Defaux, *op. cit.,* p. 197.

gagner les hommes » — et pas seulement pour démasquer un traître, comme voulait Elmire — il est bon de « se parer à leurs yeux de leurs inclinations » (I, 1) ; *Le Bourgeois gentilhomme* et *Le Malade imaginaire* s'achèvent non point sur le retour au réel mais sur le triomphe de l'illusion : le monde s'habille maintenant pour le père aux couleurs de sa folie.

La fortune de « Tartuffe »

Réception immédiate

Aiguisé par une attente de près de cinq ans, le public se rua au *Tartuffe* enfin autorisé : « je vous jure en vérité / Qu'alors la curiosité / Abhorrant, comme la Nature, / Le Vide, en cette conjoncture / Elle n'en laissa nulle part », écrit Robinet dans sa *Lettre en vers* du 9 février 1669. On peut juger du triomphe par le chiffre de la recette : 2 860 livres pour la première, le 5 février ; à titre de comparaison, *L'Ecole des femmes* avait rapporté 1 518 livres le 26 décembre 1662 ; *Dom Juan,* 1 830 le 15 février 1665 ; *Le Misanthrope,* 1 447 le 4 juin 1666 et *Le Bourgeois gentilhomme* fera 1 397 livres d'entrées le 23 novembre 1670. Même si grincent encore quelques dents dévotes, le rire submerge tout — déchaîné aussi bien par le personnage de Tartuffe que par celui d'Orgon (« On vit, en riant à tous coups, / Ce Tartuffe, ou cet hypocrite... », continue la *Lettre* du 9 février). Le 23 février, Robinet donne la distribution : Orgon est joué par Molière, Elmire par sa jeune épouse Armande, Madame Pernelle par un homme (le boiteux Béjart), Tartuffe par le gras et sanguin Du Croisy qui venait de remplir dans *L'Avare* le rôle de Maître Jacques, cuisinier et cocher d'Harpagon. Le succès des premiers jours ne se dément point, puisque *Tartuffe* est représenté 48 fois au Palais-Royal durant l'année 1669 — à quoi s'ajoutent six « visites » et une représentation à Saint-Germain, devant le roi, au début du mois d'août. Succès confirmé par la librairie, où une seconde édition (6 juin) suit de près la première (23 mars), et par les adversaires même : « Un si fameux succès ne lui fut jamais dû ; / Et s'il a réussi, c'est qu'on l'a défendu », rime à la fin de 1669 l'anonyme auteur de la *Lettre satirique sur « le Tartuffe »* publiée en tête de la médiocre, et anonyme aussi, *Critique du Tartuffe*[1]. Le roi ayant tranché, plus personne ne pouvait couvrir la pièce d'anathèmes. Les observations sévères de G. Guéret dans sa *Promenade de Saint-Cloud* — dont on dira un mot plus loin — resteront inédites jusqu'au milieu du XVIIIe siècle. Promptement, les anti-*Tartuffe* abandonnèrent le terrain pour se rabattre sans gloire sur les allusions à la vie privée de Molière : *La Critique du Tartuffe* est éclipsée dès les premiers jours de janvier 1670 par l'*Elomire hypocondre* de Le Boulanger de Chalussay.

Succès ultérieurs

Comme il est de règle, le nombre des représentations décroît après l'année de la création ; de plus, la mort de Molière (1673) fait entrer son œuvre en purgatoire jusqu'à la fondation de la Comédie-Française (1680). A cette dernière date, *Tartuffe* a été joué 128 fois et n'est dépassé que par deux pièces, *Sganarelle* (159 fois) et *L'Ecole des maris* (142 fois), qui doivent cet avantage seulement à l'antériorité de leur naissance. Depuis 1680, *Tartuffe* l'emporte sur toutes les autres pièces du répertoire de la Comédie-Française : de 1680 à 1700, il est joué 172 fois (*Le Misanthrope*, qui vient en second, 165 fois) sur 2 421 représentations moliéresques ; au XVIIIe siècle, 791 fois (devant *Le Médecin malgré lui*, 780 fois) sur 8 404 ; au XIXe siècle, 1 106 fois (devant *L'Avare*, 815 fois) sur 9 553 ; le total des représentations de *Tartuffe* à la Comédie-Française depuis sa création atteint aujourd'hui 3 014, chiffre qu'aucune autre pièce n'est en mesure d'égaler avant longtemps. Ces larges statistiques laissent cependant

1. Comédie parue chez G. Quinet en décembre 1669, dont on ne sait si elle fut représentée.

échapper plusieurs fluctuations significatives qu'il importe de repérer. De 1680 à la décennie 1711-1720, *Tartuffe* conquiert la première place du répertoire moliéresque ; ce succès est à mettre en parallèle avec le nombre croissant des sermons ou dissertations morales consacrés à l'hypocrisie[1], et s'alimente sans doute à l'austère dévotion qu'affichait le monde officiel depuis le mariage avec Mme de Maintenon, propre à multiplier le nombre des tartuffes à l'heure où la société parisienne glissait au contraire vers une liberté voisine du relâchement. Toujours est-il que *Tartuffe* paraît moins actuel après la disparition du Roi-Soleil. Il suit également le déclin de l'œuvre de Molière au siècle des philosophes : Voltaire la critique au nom du goût, Diderot au nom d'une esthétique dramatique nouvelle, Rousseau au nom de la morale. *Tartuffe* n'est joué que 55 fois de 1771 à 1780 par les Comédiens-Français (contre 124 fois de 1711 à 1720). L'hypocrite trouve en Augé son plus célèbre interprète au XVIIIe siècle : le rôle est poussé jusqu'à la farce et même, devant Dorine et Elmire, aux limites de l'obscénité.

Après l'étiage révolutionnaire (19 représentations de 1791 à 1800) — où *Tartuffe* est « sans-culottisé » dans son dénouement[2], puis accommodé contre les sans-culottes à la sauce thermidorienne par Népomucène Lemercier, auteur en 1795 d'un *Tartuffe révolutionnaire* —, la pièce renaît de ses cendres avec un protagoniste aussi décent, voire séduisant, qu'il était grossier au siècle précédent : c'est que Mlle Mars impose une intouchable Elmire. Du coup, le rire cesse ou

1. H. Busson, dans sa *Religion des classiques* (Paris, PUF, 1948, p. 254, n. 1) cite *Le Vrai Dévot* de Monmorel en 1679, le sermon de G. de Saint-Martin *Sur la vraie et la fausse piété* en 1683, les deux sermons de Volpilière sur le même sujet publiés en 1689, celui de Bourdaloue sur l'hypocrisie paru dans l'édition Rigaud de ses *Œuvres* en 1716 (t. II, p. 50 *sq.*), mais prononcé peut-être en 1691, en tout cas après 1670.

2. L'éloge du « prince ennemi de la fraude », devenu inadmissible, est remplacé par : « Ils sont passés, ces jours d'injustice et de fraude... ». Relevons qu'en 1792 est créé *L'Autre Tartuffe ou la Mère coupable*, de Beaumarchais, qui forme trilogie avec *Le Barbier de Séville* et *Le Mariage de Figaro*.

quasiment. Stendhal, retour de voir jouer Mlle Mars, note le 4 décembre 1822 que le public n'a « ri franchement qu'en deux endroits » — les scènes 2 et 4 du second acte[1]. *Tartuffe* pourtant connaît une période de gloire avec l'anticléricalisme qu'exacerbent, sous la monarchie constitutionnelle, les pouvoirs occultes prêtés aux jésuites et à la Congrégation : 130 représentations entre 1821 et 1830. C'est l'époque où Furcy imagine *Le Tartuffe moderne* (1825), roman dont le personnage principal est un jésuite en « mission », et J.-B. d'Epagny fait jouer son *Homme habile* (1827), pour montrer que l'hypocrisie reste un des meilleurs moyens de parvenir[2]. Applaudir à *Tartuffe* devient une manifestation de libéralisme ; de là, probablement, une bonne part de son succès sous les régimes de Charles X, de Louis-Philippe et de Napoléon III. D'autres raisons y ont concouru, comme le développement — grâce à Sainte-Beuve en particulier — de la critique moliéresque et le décret du 6 janvier 1864 mettant le répertoire classique dans le domaine public, ce qui déclencha — écrit F. Sarcey — « une orgie de *Tartuffe* sur toutes les scènes de Paris ». Le reflux va se situer entre le moment où la Troisième République s'affermit et celui de sa chute (avec une remontée sensible des représentations à l'époque de la séparation de l'Eglise et de l'Etat), comme si la passion politico-religieuse investie dans *Le Tartuffe* trouvait enfin satisfaction dans la réalité. Sur la scène, c'est Ernest Coquelin qui renoue à la fin du XIXe siècle, par-delà les noirceurs romantiques, avec la tradition autorisée d'un Tartuffe comique : l'exemple n'en sera guère suivi de Lucien Guitry en 1923, de Jouvet en 1950, ni en général de nos contemporains.

1. *Lettre* reproduite dans *Le Moliériste,* t. V, janv. 1884, p. 296-299.

2. Faut-il rappeler que, dans *Le Rouge et le Noir,* Julien Sorel prend « Tartuffe comme son maître » ? D'autres tentatives pour adapter le scénario de *Tartuffe* à la société moderne sont signalées par H.-P. Salomon (*Tartuffe devant l'opinion française,* p. 144, n. 3) : Balzac écrit sans conviction en 1847 le premier acte d'un *Orgon,* et un certain A. Jouhaud tentera vainement en 1873 de faire jouer *L'Orgon de Tartuffe* transposé chez M. Homais.

Depuis la guerre, *Tartuffe* jouit d'une extraordinaire faveur. A titre d'exemple, la pièce a été jouée 235 fois aux Français pendant la décennie 1951-1960, contre 25 fois entre 1931 et 1940. Surtout, elle attire les mises en scène les plus originales — les plus contestables parfois. R. Planchon a créé en 1973 à Buenos Aires un *Tartuffe* magistralement provocateur, où les personnages sont saisis en débraillé dans une maison en réfection, alternativement délabrée ou luxueuse selon l'atmosphère de l'acte et peuplée de symboles baroques. Son Orgon éprouve une passion inconsciemment homosexuelle pour Tartuffe, ce que le texte supporte plus volontiers que l'extrême brutalité du dénouement, où la police d'un Etat totalitaire vient régler ses comptes au lieu de rétablir la Justice[1]. Dans la même ligne d'un *Tartuffe* équivoque, A. Vitez (Festival d'Avignon, 1978), J.-P. Roussillon (Comédie-Française, 1980) et J. Lassalle (Théâtre National de Strasbourg, 1984) font du protagoniste une sorte d'ange pervers — un peu massif dans l'interprétation de G. Depardieu — renouvelant la démonstration du *Théorème* de Pasolini[2]. Le départ est souvent difficile entre l'inspiration et la fatuité, mais l'exploration systématique des contresens possibles sur *Tartuffe* est la marque la plus éclatante que *Tartuffe* ne cesse de produire, pour nous, du sens.

Lectures de « Tartuffe »

Si diverses que soient les interprétations, on ne peut manquer d'être frappé par la permanence des problématiques. Schématiquement, quatre thèmes sont repérables. Premier

1. Pour l'analyse détaillée que mérite le travail de Planchon, v. l'étude de T. Kowzan citée dans la Bibliographie.
2. Cf. la Préface de G. Dumur dans notre éd. de référence de *Tartuffe* (Livre de Poche classique, série « Théâtre »).

thème, par ordre d'importance croissante : celui du dénouement manqué. Dès 1669, l'auteur de la *Lettre satirique sur « le Tartuffe »* en condamne l'artifice : « Le cinquième acte vient, il faut finir la pièce ; / Molière la finit et nous fait avouer / Qu'il en tranche le nœud, qu'il n'a su dénouer. » Boileau, si sévère pourtant à l'égard des avilissements farcesques de la grande comédie, voulait supprimer le recours à la cassette et faire chasser Tartuffe à coups de bâton[1]. Des critiques cent fois reprises, le XXe siècle fera justice, en particulier à travers l'analyse socio-critique de R. Horville et de R. Albanese : Tartuffe, parce qu'il pervertit la religion et désagrège la cellule familiale, doit être abattu par celui qui est le garant des valeurs spirituelles et morales sur lesquelles repose l'ordre de la société — le roi. Second thème, l'impudeur d'Elmire. Sans mettre en doute les bonnes intentions de l'épouse d'Orgon au IVe acte, *La Critique du Tartuffe* — contemporaine de la pièce — fait remarquer que la honte, lorsqu'on feint, « naît de ce que l'on dit et non de ce qu'on pense » (sc. 5). Plus finement que Coustel au XVIIe siècle ou que Veuillot au XIXe, l'abbé Bertrand de La Tour, au XVIIIe, reproche à Elmire de justifier sa ruse par la même morale de la direction d'intention dont on fait grief à Tartuffe : « Qu'eût-on dit de Buzenbaum [casuiste suspect de laxisme], s'il l'eût enseignée ? » Elmire en somme est « une hypocrite de crime, comme Tartuffe un hypocrite de vertu »[2]. Au XXe siècle, l'exemple éminent de J. Guicharnaud prouve que la critique n'a pas tout à fait lavé Elmire du soupçon de « jésuitisme » (*op. cit.*, p. 115). Troisième thème : la maladresse de Tartuffe. Déjà, G. Guéret lui voyait l'hypocrisie peu « délicate » et donc peu crédible : quel imposteur se ser-

1. V. note de Brossette, dans *Correspondance Boileau-Brossette,* citée dans *Recueil Mongrédien,* t. I, p. 334-335.
2. *Réflexions morales, politiques, historiques et littéraires sur le théâtre,* citées par H.-P. Salomon, *op. cit.,* p. 127 et 128.

virait, pour exprimer son amour, « de mots consacrés à la Religion » ? Certainement, il croirait « se trahir par ces sortes de paroles »[1]. C'est bien l'avis de La Bruyère, dont l'Onuphre — au chapitre « De la mode » (§ 24) des *Caractères* — mène un jeu sans faille : « Il ne dit point : *Ma haire et ma discipline,* au contraire ; il passerait pour ce qu'il est, pour un hypocrite » ; il ne se dévoile point à une femme dont il ne soit aussi sûr que de lui-même et ne prétend rien sur les droits inviolables d'un fils, mais s'attaque à la ligne collatérale. Toutefois, l'imperfection dans l'hypocrisie dotera plutôt Tartuffe d'un intérêt supplémentaire aux yeux de plusieurs critiques modernes : elle rendrait le personnage plus complexe et plus proche de nous en signalant — ce qui reste à prouver — un tourment intérieur, un déchirement ou un compromis entre une foi sincère et des pulsions qu'elle condamne : tel est le Tartuffe de Constant Coquelin en 1884, de Rigal en 1908, de Jouvet en 1950. A la limite, l'hypocrisie vole en éclats : il n'y a pas — développe brillamment C. Rosset dans *Le Monde et ses remèdes* (PUF, 1964) — de visage sous le masque de Tartuffe, pas de repli de conscience où il aurait choisi de mentir et se saurait trompeur.

Le dernier thème dépasse l'enjeu d'une pièce, mais ne cesse d'être exploité à propos du *Tartuffe* : c'est celui de la religion de Molière. Malgré la persistance des accusations de libertinage, portées depuis Roullé (*Le Roi glorieux au monde,* 1664) et A. Baillet (*Jugements des savants sur les principaux ouvrages des auteurs,* t. IV, 1686) jusqu'à J. Cairncross (*Molière bourgeois et libertin,* Nizet, 1963) en passant par Bourdaloue *(Sermon sur l'hypocrisie) et Louis Veuillot (Molière et Bourdaloue,* 1877), les critiques se sont en général résignés à ne pouvoir prendre Molière en flagrant délit d'irréligion. Toutes les présomptions que R. Picard, par

1. *La Promenade de Saint-Cloud,* citée dans *Recueil Mongrédien,* t. I, p. 354-355.

exemple, tire de *Tartuffe* — à savoir que la pièce a scandalisé beaucoup de chrétiens, qu'elle ridiculise le souci du péché et le mépris des biens matériels, qu'elle définit les vrais dévots de façon essentiellement négative — ne vont pas à faire soupçonner Molière de libertinage, encore moins d'athéisme : elles traduisent seulement la coexistence dans la société de deux formes, l'une rigoureuse et l'autre mondaine, de la même religion. La seconde, qui prendra au XVIIIe siècle son autonomie en glissant au déisme, se donne pour le moment bonne conscience à l'intérieur de l'Eglise en accusant la première d'hypocrisie[1].

Il est cependant possible de renouveler ces problématiques, ou de les mettre entre parenthèses sans préjudice de la fécondité critique, en centrant l'analyse sur la dramaturgie. C'est ce qu'ont réussi, dans deux styles bien différents, J. Guicharnaud en pionnier de la modernité moliéresque et M. Serres à la pointe de la haute technologie philosophique. Pour le premier, *Tartuffe* est la métaphore la plus claire d'un univers déchiré entre une norme incarnée (Cléante, Elmire) et des aberrations incarnées (Orgon, Tartuffe). Ce déchirement est au principe du drame — c'est-à-dire de l'action —, nullement d'une tragédie ; au contraire, il ouvre la distance où peut fuser le rire. Plus profondément, la position d'une norme permet au rire de naître dans « la distance entre les corruptions et la chose corrompue, l'existence de cette dernière dans son état de pureté étant reconnue comme réelle ou au moins comme possible » (*op. cit.*, p. 527). A partir du moment où Molière s'interrogera sur ce que cache d'amour-propre et de déterminisme la défense de la norme — ainsi dans *Dom Juan* et *Le Misanthrope* —, c'est la comédie elle-même qui sera remise en question. Michel Serres, dans une dizaine de pages de son *Parasite* (Grasset, 1980), ne voit aussi dans l'enjeu idéologique de la pièce qu'un prétexte à théâtre. L'hypocrisie

1. R. Picard, *Tartuffe*, « production impie » ? (v. « Bibliographie »).

représente seulement un moyen au service de la fonction dramatique du parasitisme. Tartuffe est un parasite aux trois sens du terme : il est évidemment celui qui s'impose à la table et au logis d'Orgon ; il est aussi l'animal qui périt du mouvement même par lequel il se gorge des ressources de son hôte, car en se nourrissant de lui, il le détruit, et en le détruisant, il se suicide ; il est enfin — au sens moderne du terme parasite — celui qui intercepte la communication : s'attaquant aux relations plus encore qu'aux êtres, Tartuffe coupe le dialogue entre l'aïeule et toute la famille, entre mari et femme, entre père et fille, entre mère et fils, entre fiancée et fiancé — « il est en tiers dans les secrets d'amour et les secrets d'Etat » (p. 277), « il est le tiers inclus » (p. 278). Tartuffe, au sommet de l'action, « est tout, en toutes places. Il est frère du père, il est son héritier, il est le mari de la femme et l'amant de la fille, il est le propriétaire. Nommez tous les personnages, il s'est substitué à tous » *(ibid.)*.

Orientations pour une explication : la déclaration de Tartuffe (v. 933-960)

Cet épisode illustre se situe au centre de la pièce (III, 3). Tartuffe n'est apparu aux yeux des spectateurs qu'à la scène précédente, celle du mouchoir, mais il rattrape ici goulûment son retard. Le dramaturge a préparé l'aveu (par les soupçons de Dorine aux vers 84, 835-837 et 875-876) ; néanmoins il surprend par sa brutalité, car il prend d'abord la forme de gestes : « Que fait là votre main ? » (v. 916). C'est une victoire d'Elmire que d'amener Tartuffe à n'exprimer son désir que par des mots. Elle ne risque plus l'agression physique, le débat revient aux termes — peu banals, il est vrai — d'une casuistique amoureuse : un dévot saurait-il brûler pour une terrestre beauté ? La réponse de Tartuffe peut se décomposer en trois temps.

1 / *La justification* (v. 933-944)

Deux mouvements se conjuguent : le passage du général au particulier et le va-et-vient entre la terre et le ciel.

Le premier mouvement affecte Elmire et Tartuffe, le locuteur. Elmire est présente tout d'abord dans la catégorie très vaste des beautés temporelles, qui peut englober la nature ; puis dans le cercle plus étroit de ses « pareilles » (v. 937) — les femmes, et spécialement les jolies femmes ; enfin elle est désignée en propre personne : « en vous » (v. 938), « sur votre face » (v. 939), « vous voir » (v. 941), « en vous » (v. 942). Parallèlement, Tartuffe aussi s'individualise. Il commence par se mettre en retrait de son discours ; il l'assume, certes, mais pas au premier rang : enveloppé dans la caution, censément rassurante pour l'interlocutrice, d'une collectivité (« l'amour qui nous attache », v. 933 ; « en nous », v. 934 ; « nos sens », v. 935). Tartuffe a retrouvé la maîtrise de lui-même après l'affolement gestuel du début de la scène ; aussi ne s'engage-t-il dans ses propos qu'au terme d'un repli prudent derrière la pluralité de ses pareils, les dévots : il attend neuf vers pour oser passer à la première personne du singulier («je n'ai pu vous voir », v. 941), onze pour lâcher le grand mot (« ardente *amour* », v. 943).

Encore cette précaution oratoire se double-t-elle d'une justification doctrinale. Sans être assenée de façon pédantesque, la leçon est rendue fort claire par le va-et-vient permanent entre le temporel et l'éternel : s'offrent d'abord aux sens des « ouvrages parfaits » (v. 936) qui renvoient au « ciel » *(ibid.)* comme à la causalité créatrice ; du ciel, l'on redescend par réflexion dans le concret aux terrestres « attraits » (v. 937) d'une « parfaite créature » (v. 941), qui de nouveau renvoie à « l'auteur de la nature » (v. 942), lui-même se donnant à voir charnellement dans son « portrait » (v. 944) en Elmire. Il s'agit de légitimer la compatibilité de l'amour céleste et de l'amour terrestre par la théologie chrétienne de la création et la philosophie platonicienne de l'analogie : le divin se manifestant dans le sensible, il est possible d'user du sensible comme d'une médiation vers le divin. Le Platon du *Banquet* inspire sur ce point les humanistes dévots, et particulièrement jésuites, du XVIIe siècle : Diotime est toute chrétienne, selon le P. Le Moyne, quand Platon lui fait dire « que les beautés inférieures sont comme des degrés par lesquels il faut que l'amour de l'homme s'élève pied à pied jusqu'à ce qu'il arrive à la jouissance de la beauté souveraine » (*Peintures morales,* t. II, p. 41). Elmire serait le terme de l'*exitus* divin dans le monde et le principe du *reditus* humain vers Dieu. Mais, à l'évidence, Tartuffe pervertit la tradition mystique : il importe moins, pour lui, de s'élever du sensible au divin que de justifier par la divinité l'amour du sensible. Au lieu de passer de l'amour d'un corps à l'amour des Idées éternelles, on passe en l'occurrence de « l'amour » des « beautés éternelles » (v. 933) à l'« ardente amour » (v. 944) d'un corps mortel. Figure christique ou mariale par son statut de « parfaite créature » (v. 941), Elmire cependant n'est médiatrice que d'elle-même.

2 / *L'objection* (v. 945-952)

Suivant sa tactique d'audacieuse prudence, Tartuffe amorce un nouveau repli après avoir prononcé le mot compromettant et indispensable d'« amour » (v. 943). Il se présente à lui-même, pour mieux l'annuler, une objection qu'il imagine poindre chez Elmire : et si l'ardeur dont il est enflammé, au lieu d'élever jusqu'à l'auteur de toute beauté, n'était qu'un feu avant-coureur de celui de l'enfer ? Ne supposons pas un Tartuffe déchiré — il serait pathétique et non plus comique. Rien dans la pièce ne suggère que l'hypocrite ait traversé une période de renoncement. Tartuffe ne détaille point les raisons de son inquiétude : il ne s'agit pas de transmettre à Elmire des scrupules dont il entend la débarrasser ! Le « noir esprit », à peine mentionné, rentre dans la boîte à malices ; son évocation est, immédiatement, un exorcisme. Et, pas plus qu'on ne connaît avec précision les affres de l'âme tartuffesque dans sa crise prétendue, on ne sait comment il a pu en guérir. Ces craintes n'étaient qu'une concession symbolique destinée à apaiser Elmire, un *pharmakos* à éliminer aussitôt par quelque passe magique de casuistique (c'est ce que traduisent l'expression « *peut* n'être point coupable » — il y faut la condition d'un savoir-faire — et le terme technique d'« ajuster », désignant le bricolage nécessaire pour adapter tel commandement religieux à l'acte qui lui est contraire). Avec la caution du scrupule dépassé, Tartuffe peut retrouver l'assurance que lui donnaient, dans le premier mouvement, ses principes théologiques et philosophiques ; il peut réemployer le mot « amour » (v. 943) sous la forme adjective (« aimable », v. 949), le charger même d'un sens plus fort en l'appelant « passion » (v. 950) et dévoiler *a contrario* ses intentions en parlant de « pudeur » (v. 951) : le problème mystique de savoir si l'amour terrestre est une voie vers l'amour de Dieu se dégrade ici en question de morale sexuelle. L'amour platonicien de Tartuffe pour Elmire n'est en aucun cas un amour platonique. Tartuffe joue dans ce second moment le rôle psychagogique du directeur de conscience : il a mimé le probable scrupule d'Elmire afin de le réduire à néant et de la mener jusqu'à la conclusion qu'il formule pour lui-même — s'« abandonner » (v. 952).

3 / *La déclaration* (v. 953-960)

Là encore, un mouvement de recul après l'avancée (« je le confesse », « audace », v. 953 ; « oser », v. 954), mais en dépit de ses humbles excuses Tartuffe ne retire rien sur le fond ; il passe même — le mot est d'Elmire au vers 961 — à une « déclaration » dans les formes. Formes singulières, dira-t-on, car elles expriment l'amour profane en termes religieux ou à connotation religieuse : « je le confesse » (v. 953), « l'offrande » (v. 954, à mi-chemin entre l'offre et l'offertoire), « l'infirmité » (v. 956, qui signale l'état de nature déchue), la « quiétude » (v. 957, qui est un type d'oraison et donnera bientôt le quiétisme), la « peine » et la « béatitude » (v. 958, qui s'opposent comme les souffrances de l'enfer à la félicité paradisiaque), l'« arrêt » (v. 959 ; cf. v. 1484 : « Mais des arrêts du Ciel on nous fait tant de peur ! »). Mais Tartuffe se coule ici dans une tradition précieuse et galante qui fait de la femme une déesse implorée à genoux, pour laquelle le cœur sacrifie sur l'autel de l'amour. L'étonnant est que l'austère dévot, si ennemi des afféteries mondaines, entre dans le jeu métaphorique et se complaise dans la pointe (« audace »/« oser » est une *figura etymologica* qu'on peut rapprocher de la chute — « désespère »/« espère » — du sonnet d'Oronte dans *Le Misanthrope*), la gradation (v. 957) et l'antithèse (v. 958 et 960). Par là, Tartuffe tombe dans la contradiction et s'expose au ridicule : contradiction repérable aussi entre les deux états d'Elmire (la médiatrice de Dieu est vénérée maintenant comme la divinité en personne, acceptant ou refusant les cœurs, disposant du bonheur et du malheur des mortels : d'icône, elle est devenue idole), enfin entre l'idéologie éthérée (d'ailleurs démodée, comme l'humanisme dévot) de l'amour précieux et le tempérament sanguin d'un Tartuffe qui, loin de tenir vingt ans aux pieds d'une belle, se précipite incontinent à l'assaut de ses charmes.

Tartuffe, dans cette scène, ne se contente plus d'accepter les cadeaux d'Orgon (gîte et nourriture, argent, Mariane) ; il veut prendre ce qu'on ne lui donne pas. Dès son entrée sur le théâtre, il nous est montré en chasse. Mais au moment même où il pense captiver Elmire de sa sophistique et de sa rhétorique, c'est lui qui se livre à elle : en se dévoilant sans être assuré de son interlocutrice, il lui tend deux armes contre lui-même — celle du chantage (que Damis rendra inutilisable) et celle de la fausse séduction (qui causera sa chute à l'acte IV, sc. 5).

Bibliographie critique

I / ÉDITIONS ET INSTRUMENTS DE TRAVAIL

L'édition de référence est désormais celle de G. Couton (Molière, *Œuvres complètes,* 2 vol., Paris, Gallimard, « Bibliothèque de la Pléiade », 1983 ; *Tar.* est au t. I), qui succède à celle de Despois et Mesnard (Paris, Hachette, coll. « Grands Ecrivains de la France », 1878 pour le t. IV). J.-P. Collinet vient de donner une édition facilement accessible du *Tar.* (Paris, Le Livre de Poche, série « Théâtre », 1985), pourvue de solides commentaires et notes, préfacée par G. Dumur. Signalons enfin la coll. « Classiques du Théâtre », qui présente chez Hachette le *Tar.* dans la mise en scène de Planchon (éd. P. Brunet, 1967).

Trois instruments de travail fort utiles : pour la biographie, G. Mongrédien, *Recueil des textes et des documents du XVIIe siècle relatifs à Molière,* 2 vol. (le 1er s'achève sur l'année 1671), Paris, CNRS, 1965 ; pour une bibliographie récente, *Molière and the Commonwealth of Letters : Patrimony and Posterity,* Jackson, Univ. Press of Mississippi, 1975 (sur *Tar.,* p. 784-788) ; pour l'état des études, le numéro « Visages de Molière » de la revue *Œuvres et Critiques* (VI, 1, été 1981).

II / OUVRAGES GÉNÉRAUX SUR LE THÉÂTRE ET SUR MOLIÈRE

a / Sur le théâtre

Ch. Urbain et E. Levesque, *L'Eglise et le théâtre,* Paris, Grasset, 1930 ; R. Garapon, *La fantaisie verbale et le comique du Moyen Age à la fin du XVIIe siècle,* Paris, A. Colin, 1957 ; P. Voltz, *La comédie,* Paris, A. Colin, coll. « U », 1964 ; G. Mongrédien, *La vie quotidienne des comédiens au temps de Molière,* Paris, Hachette, 1966 ; la précieuse thèse de P. Larthomas sur *Le langage dramatique,* Paris, A. Colin, 1972 (2e éd., PUF, 1980) ; R. Guichemerre, *La comédie classique en France,* Paris, PUF, coll. « Que sais-je ? », 1978.

b / Sur Molière

Une étude déjà ancienne, mais toujours stimulante : *Molière homme de théâtre,* par R. Bray, Paris, Mercure de France, 1954 (2e éd., 1963) ; une synthèse sur la vie et l'œuvre : le *Molière* de R. Jasinski, Paris, Hatier, coll. « Connaissance des Lettres », 1969. Parmi les plus notables des travaux récents, on retiendra H. C. Knutson, *Molière : An Archetypal Approach,* Toronto and Buffalo, Univ. of Toronto Press, 1976 (sur *Tar.,* p. 76-83) ; G. Defaux, *Molière ou les métamorphoses du comique : de la comédie morale au triomphe de la folie,* Lexington, French Forum Publishers, 1980 ; G. Conesa, *Le dialogue moliéresque, étude stylistique et dramaturgique,* Paris, PUF, 1983 (indispensable à toute étude technique de Molière) ; deux recueils d'études : H. G. Hall, *Comedy in Context : Essays on Molière,* Jackson, Univ. Press of Mississippi, 1984, et, sous la direction de J. Truchet, *La thématique de Molière,* Paris, SEDES, 1985 (six études suivies d'un inventaire des thèmes).

III / « TARTUFFE » EN SON TEMPS

Deux réactions contemporaines : G. Guéret, *La Promenade de Saint-Cloud* (1669), dans *Mémoires historiques, critiques et littéraires, par feu M. Bruys,* Paris, Hérissant, 1751 (t. II, p. 204-211) ; et *La Critique du « Tartuffe »,* comédie anonyme, Paris, G. Quinet, 1670. V. aussi Th.-J. Van Vree, *Les Pamphlets et libelles littéraires contre Molière,* Univ. de Paris, Impr. J. Vermaut, 1932 (le chap. III). Un tableau philosophique et théologique de l'époque se trouve dans H. Busson, *La religion des classiques,* Brionne, Ed. Montfort, coll. « Imago mundi », 1982 (reprod. de l'éd. PUF, 1948). Sur Molière et la Compagnie du Saint-Sacrement : A. Rébelliau, Deux ennemis de la Compagnie du Saint-Sacrement : Molière et Port-Royal, *Revue des Deux Mondes,* t. 53, 1909, p. 892-923 ; F. Baumal, *Molière et les dévots,* Paris, Ed. du Livre mensuel, 1919, et *Tartuffe et ses avatars,* Paris, Nourry, 1925.

IV / OUVRAGES CONSACRÉS DE FAÇON EXCLUSIVE OU PRIVILÉGIÉE A « TARTUFFE »

J. Calvet, *Essai sur la séparation de la religion et de la vie,* Paris, Lanore, 1950 (2e éd., Nizet, 1980) ; reste hors de pair l'analyse magistrale de J. Guicharnaud, *Molière, une aventure théâtrale* (1re partie sur *Tar.*), Paris, Gallimard, « Bibliothèque des Idées », 1963 (2e éd., 1984) ; J. Cairncross, *Molière bourgeois et libertin,* Paris, Nizet, 1963 (sur *Tar.,* v. le chap. II ; sur la théorie de l'*Urtartuffe,* annexe I) ; J. Scherer, *Structures de Tartuffe,* Paris, SEDES, 1966 (2e éd., 1974) ; R. Horville, *Le « Tartuffe » de Molière,* Paris, Hachette, 1973 ; R. Albanese, *Le dynamisme de la peur chez Molière : une analyse socio-culturelle de « Dom Juan », « Tartuffe » et « L'Ecole des femmes »,* Univ. of Mississippi, Romance Monographs n° 19, 1976 ; une approche renouvelée par la sémiologie dans S. Relyea, *Signs, Systems and Meanings,* Middletown (Conn.), Wesleyan Univ. Press, 1976, chap. II.

V / ARTICLES OU COMMUNICATIONS SUR « TARTUFFE »

a/ Le nom de Tartuffe : A. Niderst, « Traits, notes et remarques » de Cideville, *Rev. Hist. litt. Fr.,* 1969, t. 69, p. 826 ; E.D. Montgomery, Tartuffe : the history and sense of a name, *Modern Language Notes,* mai 1973 ; J. Beck, Tartuffe : la fouine de Séville ou simplement une belette de La Fontaine ?, *Rev. Soc. Hist. du Théâtre,* 1982, n° 3, p. 204-210.

b/ Les personnages : Ph. F. Butler, Orgon le Dirigé, dans *Gallica,* Cardiff, Univ. of Wales Press, 1969, p. 103-120 ; W. Jaynes, Critical Opinions of Cléante in *Tartuffe,* dans *Visages de Molière (op. cit. supra),* p. 91-97 ; J. Brody, Amours de Tartuffe, dans *Les visages de l'amour au XVIIe siècle,* Trav. de l'Univ. de Toulouse-Le Mirail, 1984, p. 227-242.

c/ Le problème religieux : G. Couton, Réflexions sur *Tartuffe* et le péché d'hypocrisie, « cas réservé », *Rev. Hist. litt. Fr.,* 1969, t. 69, p. 404-413 ; R. Picard, *Tartuffe,* « production impie » ?, dans les *Mélanges Lebègue,* Paris, Nizet,

1969, p. 227-239 ; Ph. F. Butler, *Tartuffe* et la direction spirituelle au XVIIe siècle, *Modern Miscellany presented to E. Vinaver,* Manchester, Univ. Press, et New York, Barnes and Noble, 1969, p. 48-64 ; dans le num. spécial de la *Rev. Hist. litt. Fr.* consacré à « Molière » en sept.-déc. 1972 (t. 72), deux articles antithétiques : *Tartuffe,* ou Molière hypocrite, par J. Cairncross, Molière et François de Sales, par J. Plantié ; Th. Goyet, Tartuffe parle-t-il chrétien ? Essai sur l'emploi des « termes consacrés » à la scène, *Mélanges Couton,* Presses Universitaires de Lyon, 1981, p. 419-441.

d/ Le dénouement : R. Horville, La cohérence des dénouements de *Tartuffe,* de *Dom Juan* et du *Misanthrope,* dans *Rev. Soc. Hist. du Théâtre,* 1974, n° 3, p. 240-245.

VI / « TARTUFFE » DEVANT LA CRITIQUE ET A LA SCÈNE

M. Descotes, *Les grands rôles du théâtre de Molière,* Paris, PUF, 1960, chap. V ; H.-P. Salomon, *« Tartuffe » devant l'opinion française,* Paris, PUF, 1962 ; M. Descotes, *Molière et sa fortune littéraire,* Bordeaux, Ducros, coll. « Tels qu'en eux-mêmes », 1970 ; J.-P. Collinet, *Lectures de Molière,* Paris, A. Colin, coll. « U2 », 1974 ; T. Kowzan, Le *Tartuffe* de Molière dans une mise en scène de R. Planchon, *Les voies de la création théâtrale,* t. VI, Paris, CNRS, 1978, p. 279-340 ; M.-F. Hilgar, *Tartuffe* toujours recommencé : les mises en scène de 1980, *Papers on French Seventeenth Century Literature,* vol. IX, 1982, n° 16/1, p. 153-162.

Index thématique

Imprimé en France
Imprimerie des Presses Universitaires de France
73, avenue Ronsard, 41100 Vendôme
Avril 1987 — N° 32 623